2022 합격기준 박문 공무원

NETclass 동형모의고사
#1 문제편

혜선 국어

엄선된 동형모의고사 10회분 문제 및 해설 수록

각 문제의 해설을 **QR코드**로 바로 확인 가능

2021년 국가직, 지방직 국어 기출문제 및 해설 수록

박혜선 편저

동영상강의 www.pmg.co.kr

동형모의고사로 **국어** 실력 키우기

PMG 박문각

머리말 PREFACE

기존의 '동형모의고사'가 여러분들에게 와닿지 않았던 이유는 아이러니하게도 '적중'에 미친 모의고사였기 때문일 것입니다. 이미 수험생활을 여러 번 겪으신 분들이라면 적중에 미친 모의고사가 학생들에게 독이 든 사과가 된다는 것을 잘 알고 계실 겁니다.

강사로서 정말 양심적으로 보면, 적중에 미친 모의고사는 강사에게 좋은 모의고사이지, 수험생에게 좋은 모의고사는 아닙니다. 어떤 강사는 적중에 미쳐 지엽적인 부분이나 중요도가 떨어지는 부분들을 동형모의고사에 냅니다. 그리고 그것이 적중하게 되면, 소위 "적중의 신"이라며 광고를 합니다. 하지만 여러분, 지엽적이고 중요도가 떨어지는 부분이 잠깐 나왔던 모의고사가 과연 여러분들의 것이 될 수 있을까요? 강사가 낸 수많은 동형 문제에서 딱 한 문제 지엽적으로 낸 것이 우연하게 나왔다면, 과연 여러분들은 시험장에서 득점하실 수 있을까요? 정답은 '아니요'입니다. 여러분들은 동형에 고작 한 번 출제된 지엽적인 문제를 긴장된 시험 환경에서 기억하실 수 없습니다. 적중에 미쳐 중요하지 않은 문제를 실은 그 동형모의고사 때문에 오히려 정말 필수적으로 공부해야 하는 "정수(正手)"를 놓쳐 원하시는 결과를 얻으실 수 없게 됩니다. 최근 시험은 지엽적인 부분보다 기출에 이미 여러 번 출제되거나 일반적으로 중요하다고 여겨지는 단원에서 출제가 되었기 때문입니다.

그래서 적중에 미치지 않고 최근 경향을 최대한 구현해 내어, '수험생들의, 수험생들에 의한, 수험생들을 위한' 메타 인지 동형모의고사가 탄생하게 되었습니다. 오직 역공 수험생들만을 위해 지엽적인 부분은 과감히 제외하고 필수적으로 학습해야 하는 문제들로 담았습니다.

여러분, 동형 시즌에 가서야 동형모의고사를 풀게 되면 늦습니다. 그 이유는 다음과 같습니다. 첫째, 올해 12월까지 이론 학습만 하다 보면 '내년 1월' 동형 시즌에 형편없는 점수를 얻었을 경우 초조함과 불안함이 가중됩니다. 두려움이 커지면 두려움을 수습하느라 무의미한 시간을 보낼 수 있고 심하면 학습하기를 은연중에 포기하게 될 수 있습니다. 둘째, 내가 취약한 부분, 모르는 부분이 무엇인지 동형모의고사를 통해 가려내고 그 부분을 누구보다 빠르게 보완해낼 수 있습니다. 취약한 부분을 모른 채로 눈으로만 이론을 보게 되면, 암기는 될 수 있을지 몰라도 문제에 이론을 적용하는 것은 어렵습니다. 셋째, '내년 1월' 동형 시즌에 실전 감각을 기르려고 하면 늦습니다. 실전 감각은 3-4개월로 훈련할 수 있는 단순한 것이 아니기 때문입니다. 정말 단기로 합격하시길 원하신다면 기출과 유사한 동형 모의고사를 20분 내에 풀어보는 연습을 하루 빨리 하셔야 합니다.

2022 대비 고대 수석의 메타 동형모의고사는

❶ 틀린 문제나 헷갈리는 문제의 해설만 들을 수 있도록 각 동형 문제에 QR코드를 붙였습니다. 모르는 문제와 틀린 문제의 QR코드를 카메라에 대면 해당 문제들에 대한 해설을 들으실 수 있도록 하였습니다.

❷ “세상 어디에도 없는 해설”을 통해 문법 이론의 개념, 종류, 특징 등을 학습할 수 있습니다. 이 동형모의고사 하나만으로 시험에 필수적으로 나올 수 있는 이론을 충분히 대비할 수 있게 하였습니다. 이는 다른 모의고사에는 없는 형태입니다.

❸ 비전문적인 분들이 만든 문제가 아닙니다. 전문 문제 출제 위원과 함께 최근 경향에 맞는 동형모의고사를 구현하였습니다.

❹ 적중에 미치지 않은, 실제 시험과 동일한 유형의 문제로 수험생들만을 위한 모의고사를 제작하였습니다.

2022 대비 고대 수석의 메타 동형모의고사를 통해 역공 수험생 여러분들의 단기 합격이 이루어질 수 있기를 간절히 빌고 끝날 때까지 응원하겠습니다!

편저자 박혜선

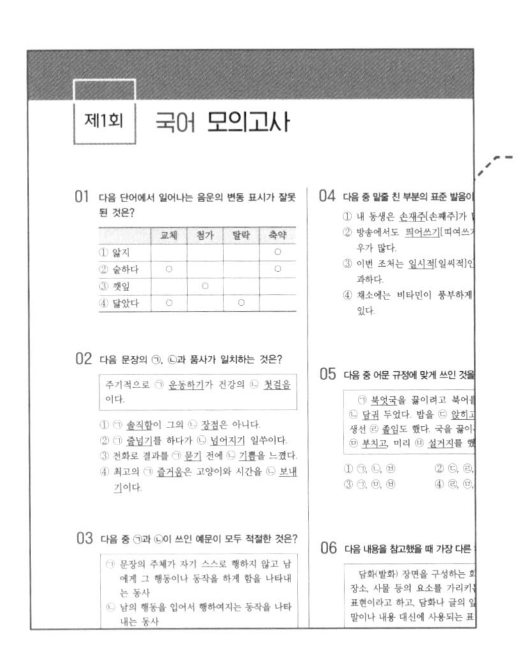

제1회 국어 모의고사

01 다음 단어에서 일어나는 음운의 변동 표시가 잘못된 것은?

	교체	첨가	탈락	축약
① 앓지				○
② 숱하다	○			○
③ 깻잎		○		
④ 닭았다	○		○	

02 다음 문장의 ㉠, ㉡과 품사가 일치하는 것은?

주기적으로 ㉠ 운동하기가 건강의 ㉡ 첫걸음이다.

① ㉠ 솔직함이 그의 ㉡ 장점은 아니다.
② ㉠ 줄넘기를 하다가 ㉡ 넘어지기 일쑤이다.
③ 전화로 결과를 ㉠ 묻기 전에 ㉡ 기쁨을 느꼈다.
④ 최고의 ㉠ 즐거움은 고양이와 시간을 ㉡ 보내기이다.

03 다음 중 ㉠과 ㉡이 쓰인 예문이 모두 적절한 것은?

㉠ 문장의 주체가 자기 스스로 행하지 않고 남에게 그 행동이나 동작을 하게 함을 나타내는 동사
㉡ 남의 행동을 입어서 행하여지는 동작을 나타내는 동사

04 다음 중 밑줄 친 부분의 표준 발음이

① 내 동생은 손재주[손째주]가
② 방송에서도 띄어쓰기[띠여쓰 우가 많다.
③ 이번 조처는 일시적[일씨적]인 과하다.
④ 채소에는 비타민이 풍부하게 있다.

05 다음 중 어문 규정에 맞게 쓰인 것을

㉠ 북엇국을 끓이려고 북어를 ㉡ 담궈 두었다. 밥을 ㉢ 앉히고 생선 ㉣ 졸임도 했다. 국을 끓이 ㉤ 부치고, 미리 ㉥ 설거지를 했

① ㉠, ㉡, ㉥ ② ㉢, ㉣,
③ ㉠, ㉤, ㉥ ④ ㉣, ㉤,

06 다음 내용을 참고했을 때 가장 다른

담화(발화) 장면을 구성하는 화 장소, 사물 등의 요소를 가리키 표현이라고 하고, 담화나 글의 앞 말이나 내용 대신에 사용되는 표

Part 01 동형모의고사

최근 출제경향에 맞게 엄선된 제1회~제10회 국어 모의고사를 수록하였다.

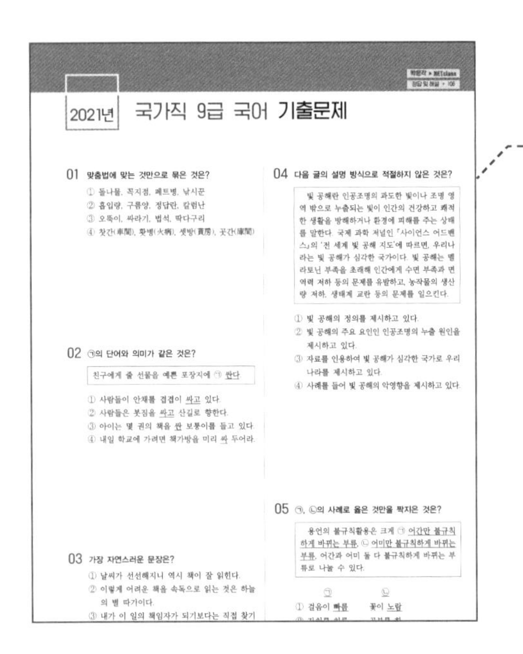

2021년 국가직 9급 국어 기출문제

01 맞춤법에 맞는 것만으로 묶은 것은?

① 돌나물, 꼭지점, 페트병, 낚시꾼
② 흡입량, 구름양, 정답란, 칼럼난
③ 오뚝이, 싸라기, 법석, 딱다구리
④ 찻간(車間), 홧병(火病), 셋방(貰房), 곳간(庫間)

02 ㉠의 단어와 의미가 같은 것은?

친구에게 줄 선물을 예쁜 포장지에 ㉠ 싼다.

① 사람들이 안채를 겹겹이 싸고 있다.
② 사람들은 봇짐을 싸고 산길로 향한다.
③ 아이는 몇 권의 책을 싼 보퉁이를 들고 있다.
④ 내일 학교에 가려면 책가방을 미리 싸 두어라.

03 가장 자연스러운 문장은?

① 날씨가 선선해지니 역시 책이 잘 읽힌다.
② 이렇게 어려운 책을 속독으로 읽는 것은 하늘의 별 따기이다.
③ 내가 이 일의 책임자가 되기보다는 직접 찾기

04 다음 글의 설명 방식으로 적절하지 않은 것은?

빛 공해란 인공조명의 과도한 빛이나 조명 영역 밖으로 누출되는 빛이 인간의 건강하고 쾌적한 생활을 방해하거나 환경에 피해를 주는 상태를 말한다. 국제 과학 저널인 「사이언스 어드밴스」의 '전 세계 빛 공해 지도'에 따르면, 우리나라는 빛 공해가 심각한 국가이다. 빛 공해는 멜라토닌 부족을 초래해 인간에게 수면 부족과 면역력 저하 등의 문제를 유발하고, 농작물의 생산량 저하, 생태계 교란 등의 문제를 일으킨다.

① 빛 공해의 정의를 제시하고 있다.
② 빛 공해의 주요 요인인 인공조명의 누출 원인을 제시하고 있다.
③ 자료를 인용하여 빛 공해가 심각한 국가로 우리나라를 제시하고 있다.
④ 사례를 들어 빛 공해의 악영향을 제시하고 있다.

05 ㉠, ㉡의 사례로 옳은 것만을 짝지은 것은?

용언의 불규칙활용은 크게 ㉠ 어간만 불규칙하게 바뀌는 부류, ㉡ 어미만 불규칙하게 바뀌는 부류, 어간과 어미 둘 다 불규칙하게 바뀌는 부류로 나눌 수 있다.

	㉠	㉡
①	걸음이 빠름	꽃이 노람

Part 02 기출문제

2021년 국가직, 지방직 국어 기출문제를 수록하여 출제경향을 파악할 수 있도록 하였다.

문제편

Part 01
국어 동형모의고사

Part 02
국어 기출문제

목차 CONTENTS

해설편

Part 03
국어 동형모의고사 정답 및 해설

Part 04
국어 기출문제 정답 및 해설

NETclass
동형모의고사
#1 문제편

혜선 국어

합격기준 박문각 공무원

박혜선 혜선 국어

PART 01

국어

동형모의고사 문제편

■ 제1회~제10회 국어 모의고사

제1회 국어 모의고사

01 다음 단어에서 일어나는 음운의 변동 표시가 잘못 된 것은?

	교체	첨가	탈락	축약
① 앓지				○
② 숱하다	○			○
③ 깻잎		○		
④ 닮았다	○		○	

02 다음 문장의 ㉠, ㉡과 품사가 일치하는 것은?

> 주기적으로 ㉠ 운동하기가 건강의 ㉡ 첫걸음이다.

① ㉠ 솔직함이 그의 ㉡ 장점은 아니다.
② ㉠ 줄넘기를 하다가 ㉡ 넘어지기 일쑤이다.
③ 전화로 결과를 ㉠ 묻기 전에 ㉡ 기쁨을 느꼈다.
④ 최고의 ㉠ 즐거움은 고양이와 시간을 ㉡ 보내기이다.

03 다음 중 ㉠과 ㉡이 쓰인 예문이 모두 적절한 것은?

> ㉠ 문장의 주체가 자기 스스로 행하지 않고 남에게 그 행동이나 동작을 하게 함을 나타내는 동사
> ㉡ 남의 행동을 입어서 행하여지는 동작을 나타내는 동사

① ㉠: 시동이 꺼져서 동생에게 차를 밀렸다.
㉡: 지하철에 사람이 너무 많아서 몸이 밀렸다.
② ㉠: 어머니는 아들에게 책을 읽혔다.
㉡: 그 책은 많은 사람들에게 읽혔다.
③ ㉠: 하늘에서 떨어지던 낙엽이 손에 잡혔다.
㉡: 울고 있는 아이에게 겨우 연필을 잡혔다.
④ ㉠: 나는 리모컨을 찾기 위해 이불을 들췄다.
㉡: 친구의 무릎을 치니 다리가 번쩍 들린다.

04 다음 중 밑줄 친 부분의 표준 발음이 옳지 않은 것은?

① 내 동생은 손재주[손째주]가 많아서 부럽다.
② 방송에서도 띄어쓰기[띠여쓰기]를 틀리는 경우가 많다.
③ 이번 조치는 일시적[일씨적]인 미봉지책에 불과하다.
④ 채소에는 비타민이 풍부하게 함유[함뉴]되어 있다.

05 다음 중 어문 규정에 맞게 쓰인 것을 모두 고른 것은?

> ㉠ 북엇국을 끓이려고 북어를 찢어서 물에 ㉡ 담궈 두었다. 밥을 ㉢ 앉히고, 양념을 넣고 생선 ㉣ 졸임도 했다. 국을 끓이는 동안 두부를 ㉤ 부치고, 미리 ㉥ 설거지를 했다.

① ㉠, ㉡, ㉥　② ㉢, ㉣, ㉤
③ ㉠, ㉤, ㉥　④ ㉣, ㉤, ㉥

06 다음 내용을 참고했을 때 가장 다른 하나는 무엇인가?

> 담화(발화) 장면을 구성하는 화자, 청자, 시간, 장소, 사물 등의 요소를 가리키는 표현을 지시 표현이라고 하고, 담화나 글의 앞뒤에서 언급한 말이나 내용 대신에 사용되는 표현을 대용 표현이라고 한다.

① 우리 같이 놀러 갔던 거기 기억나? 한 3년 전쯤인데.
② 천천히 가. 천천히. 그렇게 말해도 속도를 줄이지 않았다.
③ 체크무늬 넥타이를 샀다. 그것은 한정 판매 상품이었다.
④ 그를 만나러 간다. 내게 큰 도움을 주었던 은인 말이다.

07 다음 기사문에 반영된 글쓰기 계획으로 적절하지 않은 것은?

> ㉠ 표제: 학교에서 배운 지식, 이웃과 함께 나눠요.
> ㉡ 부제: ○○동아리, 마을 주민들과 함께하는 '이끼 공기청정기 제작' 체험 부스 운영해
> ㉢ 전문: 우리 학교 ○○동아리는 지난 6월 1일 열린 마을 축제에서 이끼 필터를 넣은 공기청정기를 만드는 체험 부스를 운영하며 지식 나눔을 실천했다.
> ㉣ 본문: 지난 6월 1일 '건강한 우리 마을 만들기'를 주제로 마을 축제가 열렸다. 우리 학교 ○○동아리는 인공 필터 대신 이끼를 필터로 활용한 공기청정기를 만드는 체험 부스를 운영하였다. 이날 부스에는 다양한 연령층의 마을 주민들이 방문하여 이끼 필터를 넣은 공기청정기를 만들어 보는 체험을 하였다. 그리고 체험 후에는 자신이 만든 공기청정기를 가져갈 수 있도록 하여 좋은 반응을 얻었다. 행사를 준비한 ○○동아리 회장은 "수업 시간에 배운 내용을 활용한 체험 프로그램에 많은 마을 주민들이 참여해 주셔서 무척 뿌듯했습니다."라고 말했다. 마을 주민 최△△ 씨는 "○○동아리 학생들 덕분에 이끼에 공기 정화 기능이 있는지 처음 알게 되었고, 공기청정기도 생겨 좋았어요."라고 소감을 말했다.

① ㉠: ○○동아리의 활동 목적을 친근감 있게 작성한다.
② ㉡: 표제를 구체화하여 활동 내용이 드러나게 작성한다.
③ ㉢: 본문에서 다룰 활동 내용을 요약해서 작성한다.
④ ㉣: 참가자 인터뷰 및 이끼 필터의 작용 원리를 인용한다.

08 다음의 ㉠~㉣을 수정한 내용이 적절하지 않은 것은?

> 시어는 화자의 주관적인 시각에 맞춰 변형된 세계가 반영되고, 이를 바탕으로 시적 의미가 ㉠ 형성한다. 따라서 동일한 시어가 쓰였다 해도 화자를 고려하여 시어의 의미 해석을 ㉡ 달리 해야 한다. 현대시에서의 '눈[雪]'은 매우 다양한 의미를 가진다. 순수함을 나타내기도 하고, 이별한 이에 대한 그리움을 나타내기도 한다. ㉢ 그리고 '눈'이 항상 긍정적인 의미를 나타내는 것은 아니다. 겨울의 ㉣ 차갑고 냉혹한 이미지와 결합하여 '고난, 역경'의 의미를 나타내기도 한다.

① ㉠: 피동의 의미를 나타내기 위해 '형성된다.'로 수정
② ㉡: 부사어가 들어갈 자리이므로 '다르게'로 수정
③ ㉢: 역접의 관계를 나타내기 위해 '그러나'로 수정
④ ㉣: 의미의 중복을 막기 위해 '차갑고'를 삭제

09 ㉠~㉣에 대한 설명으로 적절하지 않은 것은?

> 순이(順伊)가 떠난다는 아침에 ㉠ 말 못할 마음으로 함박눈이 나려, 슬픈 것처럼 창밖에 아득히 깔린 지도 우에 덮인다. 방안을 돌아다 보아야 아무도 없다. ㉡ 벽과 천정이 하얗다. 방안에까지 눈이 나리는 것일까, 정말 너는 잃어버린 역사처럼 홀홀이 가는 것이냐, 떠나기 전에 일러둘 말이 있든 것을 ㉢ 편지를 써서도 네가 가는 곳을 몰라 어느 거리, 어느 마을, 어느 지붕 밑, 너는 내 마음속에만 남아 있는 것이냐, 네 쪼고만 발자욱을 눈이 자꾸 나려 덮여 따라갈 수도 없다. 눈이 녹으면 남은 발자욱 자리마다 꽃이 피리니 꽃 사이로 발자욱을 찾아 나서면 ㉣ 일 년 열두 달 하냥 내 마음에는 눈이 나리리라.
>
> – 윤동주, 〈눈 오는 지도〉 –

① ㉠에는 이별로 인한 충격과 슬픔이 나타나고 있다.
② ㉡에는 대상을 상실한 후의 외로움이 나타나고 있다.
③ ㉢으로 인해 화자가 체념하고 있다는 것을 알 수 있다.
④ ㉣을 통해 화자가 대상을 잊지 못할 것임을 알 수 있다.

10 다음 중 인물들이 처한 상황과 관련 있는 한자성어는?

[앞부분 줄거리] 대대로 소지주 집안인 박 진사네는 세 아들 원석, 형석, 정석의 가족들이 모여 산다. 일제강점기와 함께 자본주의 사회로 들어서면서 가세가 기울고 첫째 아들인 원석은 집안을 일으키기 위해 안간힘을 쓰지만 실패한다. 이때 박 진사 집에서는 집달리가 압류된 재산을 경매하고자 한다.

박 진사 : (입가엔 게거품, 눈은 뒤집히고, 미친 듯 베틀을 향해 내달으면서) 어딜 이 놈들! 어딜 감히! (베틀 앞에 다다르자, 이를 부드득, 도끼를 번쩍 쳐들어 힘껏 내리찍는다.) 이래도!

가족들 주춤 멈춰 서서는 불의(不意-뜻밖에)에, 안도 그리고는 통쾌한 얼굴들이고. 경매인 갑, 을과 인부들, 차면 밖에서 끼웃이 들여다보다가 슬금슬금 들어서고. 경매인 갑, 을과 인부들, 차면 밖에서 끼웃이 들여다보다가 슬금슬금 들어서고.

박 진사 : (계속하여 베틀을 함부로 찍으면서) 이래도 이래도 느이가! 이래도 이놈들!

집달리 : (고개를 끄덕끄덕하다가, 경매인을 돌려다보고) 주재소! 순사, 좀!

경매인 갑, 꾸벅하면서, 상수의 차면 밖으로 급히 퇴장하고.

집달리 : (물끄러미, 방백) 바가지를 쓰고 벼락을 바우겠지*? (사이) 흥! 사람꺼경 못 성하느라구!

박 진사 : (자폭적으로 더욱 베틀을 내리찍는다.) 이래도! 자, 옜다! 자! 옜다! 자아! 옜다! (마지막 모질게 한 번 내리찍고는 도끼를 건 채 얼굴을 번쩍 쳐들면서, 기세등등하여 집달리더러 호통을) 이래도! 이놈! 경매해 갈 테거든 경매해 가거라. 이놈! 해 가아, 이놈, (서서히 내리고 있던 막 급히 다 닫긴다.)

* 바우다 : '피하다' 또는 '견디다'라는 의미의 사투리

① 左顧右眄 ② 螳螂拒轍
③ 夏爐冬扇 ④ 斑衣之戲

11 다음 글의 서술 방식으로 가장 적절한 것은?

현상학의 창시자인 후설은 인간이 지각할 수 있는 사물의 모양과 상태를 뜻하는 '현상'과 지각한 대상이 우리의 의식 속에서 의미가 되는 것을 뜻하는 '의미 현상'을 구분했다. 후설의 현상학에서는 후자를 탐구의 출발점으로 삼았다.

동일한 현상도 다양한 의미가 부여될 수 있는데, 이는 학문의 객관성을 확보하기 어렵게 한다는 문제가 있다. 이에 대해 후설은 하나의 현상이 관점과 상황에 따라 다르게 인식된다는 것을 자각하는 태도가 중요하다고 했다. 이것이 바로 '의미 현상'을 현상학적 관점에서 접근하는 태도로 이야말로 참된 의미의 객관성이라고 말하였다.

현상은 인식과 분리될 수 없으므로 현상을 객관적으로 보는 것은 불가능하다. 이처럼 의식과 현상이 동반자적 관계에 있는 것을 '의식의 지향성'이라고 한다. 후설은 우리의 의식을 정보를 수용하는 '작용'과 정보들이 의미를 지니도록 재구성하는 '해석'으로 구분했다. 이와 같이 의식의 활동을 통해 현상을 인식하게 되므로 우리가 인식하는 것은 현상 그 자체가 될 수 없다는 것이다. 또한 의식과 현상의 관계는 고정된 것이 아니라 유동적이고 중첩적이다.

① 특정 이론을 기존 이론과 비교하여 설명하고 있다.
② 특정 이론이 발전해 온 역사적 흐름을 설명하고 있다.
③ 특정 이론이 다른 이론에 미친 영향력을 설명하고 있다.
④ 특정 이론을 구성하는 핵심 개념 위주로 설명하고 있다.

12 다음 작품에 대한 설명으로 적절하지 않은 것은?

[앞부분 줄거리] 신선 같은 모습의 나산 처사는 정약용을 찾아와 귀양살이 중에도 여기 오래 머무를 것처럼 암자를 가꾸는 이유를 물었다. 처사는 자신의 삶은 떠 있는 것이라 생각해 자신의 호를 '부부자(떠 있는 사람)'라 하고, 사는 집을 '부암(떠 있는 집)'이라 한다고 전하며 암자를 가꾸는 이유가 이해되지 않는다고 말한다.

나는 일어나 경의를 표하며 말했다.

"아아, 통달하신 말씀이십니다. 선생께서는 삶이 떠 있다는 걸 잘 알고 계십니다. (중략) 천하에 떠 있지 않은 것이 어디 있겠습니까? 여기 어떤 사람이 있어 큰 배를 타고 바다로 나가서 배 위에 한 잔의 물을 쏟아 놓고 거기에 작은 풀잎을 배처럼 띄운다고 합시다. 그러고는 그것이 떠 있는 걸 비웃으면서 정작 자기가 바다에 떠 있는 사실은 잊어버린다면 그를 어리석다고 여기지 않을 사람이 드물 테지요. 지금 천하에 떠 있지 않은 것이 없거늘 선생께서는 떠 있음을 홀로 상심하시어 자신의 이름과 집에 그런 뜻을 드러내셨는데요, 떠 있음을 슬프게 생각하는 것은 잘못이 아닐까요? 여기 있는 화초와 약초, 물과 바위는 모두 나와 함께 떠 있는 것들입니다. 떠 있다가 서로 만나면 기뻐하고, 떠 있다가 서로 헤어지면 훌훌 잊을 따름입니다. 안 될 게 무어 있겠습니까?

그리고 떠 있는 것이 슬픈 건 아닙니다. 어부는 떠다니며 고기를 잡고, 장사꾼은 떠다니며 이익을 얻습니다. 범려는 강호를 떠다녀 화를 면했고, 서불은 바다를 떠다니다 나라를 세웠고, 장지화는 강물을 떠다니며 삶을 즐겼고, 예원진은 호수를 떠다니며 편안하게 지냈습니다. 그러니 떠다니는 것을 어찌 하찮게 생각하겠습니까? 그러므로 공자 같은 성인도 일찍이 바다를 떠 가고 싶다고 말씀하셨습니다. 생각해 보면 떠다닌다는 게 아름답지 않습니까? 물에 떠다니는 사람도 그럴진대 땅에 떠 있는 사람이 어찌 스스로 상심하겠습니까? 청컨대, 오늘 함께 나눈 말씀으로 '떠 있는 집'에 대한 글을 써서 선생의 장수를 축원하고자 합니다."

① 글을 쓰게 된 계기를 간접적으로 드러내고 있다.
② 설의법을 통해 글쓴이의 생각을 강조하고 있다.
③ 상황에 대한 인물 간의 인식 차이가 나타난다.
④ 구체적 사례를 열거하여 근거로 제시하고 있다.

13 제시된 문장이 들어갈 곳으로 가장 적절한 것은?

그리고 해당 라인에 데이터가 저장되어 있으면 그 라인의 태그와 요청 주소의 태그를 비교한다.

컴퓨터의 캐시 기억장치는 CPU 내, 또는 CPU와 주기억장치 사이에 위치한 기억장치로 용량은 작지만 속도가 빠르다. '직접 매핑'은 주기억장치의 데이터를 블록 단위로 캐시 기억장치의 지정된 라인이라는 장소에 저장하는 방식이다. 직접 매핑 방식에서 캐싱이 이루어지는 과정은 다음과 같다. CPU가 데이터를 요청하면 그것이 캐시 기억장치에 있는지 여부를 확인하고 해당 데이터를 불러오기 위해 주기억장치의 데이터 주소를 활용한다. ① 이 주소는 '태그 필드, 라인 필드, 워드 필드'로 이루어져 있는데 이를 통해 데이터를 요청하면, 그 주소의 라인 필드를 이용하여 캐시 기억 장치의 해당 라인을 확인한다. ② 이때 두 태그의 값이 일치하는 '캐시 히트'가 일어나면 다시 주소를 이용하여 라인 내 워드들 중에서 해당 데이터를 찾아 CPU에 보내 준다. ③ 그런데 CPU가 요청한 주소의 태그와 캐시 기억장치 라인의 태그가 일치하지 않거나 해당 라인이 비어 있어서 요청 데이터를 찾지 못하는 경우가 있다. ④ 이를 '캐시 미스'라고 하며 CPU가 요청한 데이터가 캐시 기억장치에 저장되어 있지 않다는 의미이다.

14 강연자의 말하기 방식으로 적절하지 않은 것은?

<승정원일기>는 조선 시대에 왕명의 출납을 맡으면서 비서실처럼 기능했던 승정원의 문서와 사건을 일자별로 기록한 책입니다. 임진왜란 때 상당수가 불타 버려 인조 이후의 기록만 전하는데요, <승정원일기>에는 288년 동안의 날씨가 하루도 빠짐없이 상세히 기록되어 있습니다.

이 화면은 <승정원일기>의 앞부분으로 '청'은 맑은 날, '음'은 흐린 날을 뜻하며, 눈과 비, 안개 등 기상현상뿐 아니라 그 변화도 세밀하게 구분돼 있습니다. 특히 영조는 측우기를 복원해 170여 년간의 강우량을 기록했습니다. 이 화면과 같이 강우량에 따라 '미우'부터 '폭우'까지 8등급으로 나눠 시간대별로 측정했습니다. 다음 화면은 현대 기상 자료와 <승정원일기>를 비교한 표입니다. 시간대별 강우량은 새벽 5시경에 가장 높고, 21시경에 가장 낮은 것으로 일치했습니다. 또한 월별 강우량에서 장마 주기는 거의 일치하고 연강수량 평균치도 오늘날과 큰 차이가 없습니다. 그런데 주목할 만한 것은 유독 비가 적게 온 기간이 1880년부터 20년 가까이 된다는 점입니다. 두 자료를 비교, 분석하면 높은 연강수량은 2~3년 지속되고, 낮은 연강수량은 10~20년까지 지속될 가능성이 있다는 것을 알 수 있습니다.

기상 변화는 수백, 수천 년을 주기로 일어나는데, <승정원일기>의 기록은 이상 기후를 예측할 수 있는 중요한 단서가 될 수 있습니다. 우리의 기록 유산이자 현재의 삶과도 관련된 <승정원일기>의 가치를 되새겨 보면 어떨까요?

① 낯선 개념을 익숙한 대상에 빗대어 설명하고 있다.
② 중심 화제가 지닌 가치를 강조하며 마무리하고 있다.
③ 다양한 시각 자료를 활용하여 청중의 이해를 돕고 있다.
④ 청중과 공유하는 경험을 통해 흥미를 유발하고 있다.

15 다음 글의 중심 내용으로 가장 적절한 것은?

핵분열은 원자핵이 대량의 에너지를 방출하면서 비슷한 크기의 두 개의 원자핵으로 분열하는 현상을 말한다. 또한 분열된 원자핵이 연쇄적으로 핵분열을 할 때 발생하는 에너지 역시 매우 크다. 원자력 발전은 핵분열 시 발생하는 열에너지로 증기를 발생시켜 전기를 생산하는 것으로 고도의 기술이 필요하다. 그중 대표적인 것이 고속 중성자를 감속하는 기술과 핵분열의 출력을 제어하는 기술이다.

우라늄이 핵분열을 하면 고속 중성자가 방출되는데, 그 속도가 20만km/s 정도이다. 이 속도에서는 핵분열 연쇄 반응이 일어나지 않으므로 중수*를 감속재를 사용해 고속 중성자의 에너지를 빼앗아 속도를 2.2km/s 정도로 줄인 중성자로 만들어야 한다. 그렇게 되면 우라늄 핵과 중성자 사이에 인력이 작용하여 핵분열 연쇄 반응이 일어나는 것이다.

만약 연쇄 반응으로 인해 원자로의 임계*가 초과되는 상태가 지속되면 핵분열로 인해 어마어마한 열이 계속 발생할 것이다. 그 열로 인해 감속재로 쓰이는 중수나 경수가 기화되어 압력을 이기지 못하고 원자로가 터질 수도 있다. 이를 막기 위해 필요한 것이 바로 제어봉이다. 제어봉은 카드뮴, 인듐, 은, 붕소 등과 같이 중성자를 잘 흡수하는 물질을 활용해 만든다. 제어봉을 위, 아래로 움직여 감속재에 닿는 면적을 달리함으로써 연쇄 반응의 정도를 조절할 수 있다. 이처럼 제어봉은 출력을 정밀하게 조절하거나 출력 분포를 균일하게 유지하는 역할을 한다.

* 중수 : 중수소와 산소의 결합으로 만들어진 물, 보통의 물인 경수보다 무겁고 끓는점과 어는점이 높다.
* 임계 : 원자로에서 핵분열 연쇄 반응이 정상적으로 지속되는 상태

① 원자력 발전의 핵심 기술인 감속재와 제어봉의 역할
② 원자력 발전에서 핵분열 연쇄 반응의 장점과 단점
③ 임계 초과된 원자로의 위험성과 제어 방법
④ 감속재와 제어봉을 구성하는 물질의 특성

16 빈칸에 들어갈 내용으로 가장 적절한 것은?

1930년대 이전 고전학파는 '보이지 않는 손'에 의한 시장의 자기 조정 능력을 신뢰하였고 불균형이 발생할 경우 즉시 가격이 변하여 시장은 균형을 회복한다고 했다. 따라서 호황이나 불황이 나타나는 단기는 존재하지 않는다고 봤다.

이와 달리 케인즈는 가격 경직성이 심할수록 총수요 변동 시 극심한 경기 변동 현상이 유발되어 대공황이 일어난 것으로 보았다. 케인즈학파는 경기 변동을 시장의 불균형 상태와 균형 상태가 반복되는 것으로 보고, 총수요 변동이 유발한 불균형 상태가 가격 경직성으로 인해 오래 지속될 수 있다고 봤다. 따라서 이들은 정부가 [   ] 경기 변동을 조절해야 한다고 주장했다. 또한 이들은 거시 계량 모형을 경기 예측과 정책 효과 분석에 활용함에 따라 정책을 통해 경기 변동을 제거할 수 있을 것으로 기대했다.

그러나 1970년대 새고전학파는 케인즈학파의 거시 계량 모형이 거시 경제 변수 간의 관계를 임의로 가정하고 과거 자료로 이 관계를 추정한다고 비판했다. 또한 경제 주체의 합리적 선택에 대한 미시적 분석이 필요하다고 주장했다.

① '보이지 않는 손'의 역할을 최대한 보장함으로써
② 다양한 경제 주체들의 합리적 선택을 신뢰함으로써
③ 경기 안정화 정책을 통해 경제의 총수요를 관리함으로써
④ 미시적 분석으로 거시 계량 모형의 상수를 추정함으로써

17 다음 중 함축적 의미가 유사한 시어끼리 짝지어진 것은?

㉠ 물가의 외로운 ㉡ 솔 혼자 어이 씩씩ᄒᆞᆫ고
㉢ 빈 ᄆᆡ여라 빈 ᄆᆡ여라
험한 ㉣ 구름 ᄒᆞᆫ(恨)치 마라 ㉤ 세상을 가리운다
지국총 지국총 어사와
㉥ 파랑성을 싫어 마라 ㉦ 진훤을 막ᄂᆞᆫ도다
- 윤선도, 〈어부사시사, 동사 8〉 -

* 파랑성: 물결 소리
* 진훤: 먼지와 시끄러움.

① ㉡ - ㉢
② ㉣ - ㉥
③ ㉠ - ㉤
④ ㉠ - ㉦

18 ㉠~㉣의 한자 표기와 예문이 모두 적절한 것은?

문학 작품의 의미가 생성되는 양상은 세 가지로 나눌 수 있다. 첫째는 자기의 경험은 물론 자기 내면의 정서나 의식 등을 대상에 ㉠ 投影해, 외부 세계에 새로운 의미를 ㉡ 賦與하는 경우이다. 둘째는 외부 세계의 일반적 삶의 방식이나 가치관, 이념 등을 자기 내면으로 수용하여, 자신을 새롭게 해석함으로써 의미를 만들어 내는 경우이다. 셋째는 자기와 외부 세계를 상호적으로 ㉢ 對比하여 양자에 대한 새로운 해석을 통해 의미를 생성하는 경우이다. 문학 의미 생성의 이러한 세 가지 양상은 문학 작품에서 자기와 외부 세계의 관계를 파악할 때 적용할 수 있다. 첫째와 둘째의 경우, 자기와 외부 세계와의 거리는 가까워지고 친화적 관계가 형성된다. 셋째의 경우는 자기가 외부 세계를 바라보는 관점에 따라 둘 사이의 거리가 가까워져 친화적 관계가 형성되기도 하고, 그 거리가 드러나 ㉣ 所願한 관계가 유지되기도 한다.

① ㉠: 그 작품은 인간의 욕망을 상징적으로 투영하고 있다.
② ㉡: 자원봉사자들은 이재민들에게 생필품을 부여하였다.
③ ㉢: 우리는 재난에 대비해 안전 교육을 강화해야 한다.
④ ㉣: 일에만 집중하다보니 다른 것에는 소원하게 되었다.

19 다음 중 '한나 아렌트'의 관점과 일치하지 않는 것은?

> 한나 아렌트의 정치철학을 이해하기 위해서는 정치의 본질을 파악해야 한다. 그는 정치가 사적인 것이 아닌 공적인 것이라고 했다. 자기 보존의 수단인 '노동'과 생존을 넘어서 편의를 위해 결과물을 만드는 활동인 '작업'은 사적인 것에 해당된다. 이와 달리 '행위'는 타인과 상호 소통하며 자신의 존재를 드러내는 것으로 공동 관심사에 대해 다수와 의견을 나누는 활동을 말한다. 이처럼 '행위'는 타인의 지속적인 현존을 전제조건으로 삼기 때문에 공적인 것이라고 했다.
>
> 아렌트는 고대 그리스인들의 가정을 '노동'과 '작업'이 이루어지는 사적 영역으로, 정치 공동체인 폴리스를 '행위'가 일어나는 공적 영역으로 인식했다. 이들이 공적 영역에서 '행위'를 통해 자유를 실현한 것처럼 정치의 본질은 자유의 실현이라고 생각했다. 그러나 근대 이후 '사회'가 출현함으로써 정치의 의미가 왜곡되었다고 진단한다. 본래 경제 활동은 사적 영역에서의 활동이었으나, 사회가 출현하고 시장이 발달하면서 이것이 공적 영역으로 옮겨 갔고 이 둘 간의 경계가 허물어진 것이다. 즉, 공적 영역에 경제 활동이 자리 잡으면서 공적 영역이 사라지게 되었다고 분석하였다. 결국 사회의 등장으로 사람들은 타인과 함께 공동의 문제를 위해 '행위'하지 않고 자신의 경제적 이익의 극대화를 위해 '행동'하는 것이 문제라고 보았다. 그로 인해 경제화 된 근대 이후의 사회에서는 사람들이 시장 경제 논리에 따라 움직이고, 궁극적으로 행위가 일어날 가능성도 박탈당하는 것이다. 그렇기 때문에 아렌트는 '행위'와 자유 실현 가능성을 찾기 위해 공적 영역을 회복하고 보존할 필요가 있다고 보았다.

① 근대 이후 경제 활동과 정치의 영역이 서로 바뀌었다.
② '행위'와 마찬가지로 정치의 본질은 자유의 실현이다.
③ '사회'에서는 '행위'보다 '행동'이 일어날 가능성이 높다.
④ '노동'과 '작업'은 사적인 것이고, '행위'는 공적인 것이다.

20 ㉠의 이유로 가장 적절한 것은?

> 과거 금세공업자들은 금을 맡긴 사람들이 한꺼번에 몰려와 금을 찾지 않는다는 것을 알게 되어 보관증만큼의 금을 반드시 보유할 필요가 없음을 깨달았다. 그래서 여유분을 필요한 사람에게 빌려 주며 수수료를 받아 이윤을 얻었다. 그 과정에서 많이 빌려 가는 사람에게는 사례를 했다.
>
> 이것이 바로 은행의 두 가지 기능이다. 첫째, 여윳돈이 있는 사람으로부터 자금을 조성해 이를 필요로 하는 사람에게 융통해 주는 금융 중개 기능이다. 이를 통해 금융 시장의 거래비용을 낮추고, 조성된 자금이 효율적으로 활용되도록 자금의 흐름을 조정하는 역할을 한다. 또한 조성된 자금이 더 건전하고 수익성 높은 곳으로 투자되도록 유도하기도 한다. 둘째, 화폐를 창출하는 예금창조 기능이다. 이 기능은 예금의 일부만을 지급준비금으로 보유하는 지급준비제도에서 비롯되는 것이다. 은행은 예금의 일부만 보유하고 나머지를 대출해 주면서 예금통화라는 화폐를 창출하게 되고, 대출 받은 사람들은 재화와 서비스를 구입할 수 있는 능력이 커지게 된다. 그러나 새롭게 만들어진 예금은 누군가가 빌려서 생긴 빚이기 때문에 사람들이 갚아야 할 빚도 그만큼 늘어난 상황으로 볼 수 있다. 이러한 과정이 이루어지면 ㉠ <u>교환의 매개수단으로 쓰이는 화폐의 양이 늘어 경제의 유동성은 증가하지만, 경제가 전보다 부유해지는 것은 아니다.</u>

① 은행이 돈을 대출해 준만큼 통화량은 줄어들기 때문이다.
② 대출금으로 투자를 해 손실이 발생할 수 있기 때문이다.
③ 유통되는 화폐의 양이 늘어나면 은행의 금융 중개 기능이 약화되기 때문이다.
④ 대출을 통해 재화와 서비스 구입 능력이 커진 만큼 부채도 늘어나기 때문이다.

제2회 국어 모의고사

01 다음 중 빈칸에 들어갈 수 있는 말로 적절한 것은?

용언 어간 뒤에 '-아/어'로 시작하는 어미가 결합할 때, 단모음이 반모음으로 교체되는 음운 변동이 일어날 수 있다.
우선, 용언 어간의 단모음 'ㅗ'가 반모음 'w'로 교체되는 경우이다. 그 예는 어간 '오-'와 어미 '-아'가 결합해 [와]로 발음되는 것이다. 또한 용언 어간의 단모음이 '-아/어'로 시작하는 어미와 결합할 때 반모음 'j'로 교체되는 경우도 있다. 그 예는 (   )로 발음되는 것이다.

① 어간 '아니-'와 어미 '-어요'가 결합해 [아녀요]
② 어간 '되-'와 어미 '-어'가 결합해 [되여]
③ 어간 '착하-'와 어미 '-아서'가 결합해 [착해서]
④ 어간 '안기-'와 어미 '-어서'가 결합해 [안겨서]

02 다음 중 관형사가 사용되지 않은 문장은?

① 농구를 하다가 오른쪽 손가락을 삐었다.
② 그는 뭇 닭 속의 봉황이요 새 중의 학 두루미다.
③ 신문은 총 16면이었는데 좋은 기사가 많이 실려 있었다.
④ 마음이 따뜻한 친구를 만나 이런저런 이야기를 나누었다.

03 다음 중 밑줄 친 부분의 띄어쓰기가 옳지 않은 것은?

① 모든 준비가 잘 되어 <u>가는 듯하다</u>.
② <u>그에게만이라도</u> 비밀로 했으면 좋겠다.
③ 온라인 강의만 들어도 출석한 것으로 <u>인정해 준다</u>.
④ <u>인터넷상</u> 개인 정보 보호법이 강화되었다.

04 ㉠~㉤의 문단을 배열한 순서가 가장 적절한 것은?

㉠ 언제나 다른 말과 결합해야 하는 접사와 어미 같은 표제어에는 결합하는 부분에 붙임표가 쓰인다. 다만 조사도 자립적으로 쓰이지 않지만 단어이므로 그 앞에 붙임표가 쓰이지 않는다. 용언 어간도 자립적으로 쓰이지 않지만 용언 어간과 어미 '-다' 사이에 붙임표가 쓰이지 않는다.
㉡ 이처럼 소리대로 적는 단어들은 구성 성분들이 원래 형태의 음절로 나누어지지 않으므로 표제어에 붙임표가 쓰이지 않는다.
㉢ 그리고 둘 이상의 구성 성분으로 이루어진 표제어에는 가장 나중에 결합한 구성 성분들 사이에 붙임표가 한 번만 쓰인다. 복합어의 붙임표는 구성 성분들을 반드시 붙여 써야 한다는 점도 알려 준다.
㉣ 『표준국어사전』의 표제어에 쓰이는 붙임표는 표제어의 문법 특성, 띄어쓰기, 어원 및 올바른 표기에 대한 정보를 제공한다. 단어의 구성 요소나 방식 등에 따라 붙임표가 쓰이는 경우와 아닌 경우로 나뉜다.
㉤ 한편, 기원적으로 두 개의 구성 성분이 결합한 단어이지만 붙임표가 쓰이지 않는 경우가 있다. '한글 맞춤법'에서는 현대 국어에서 새 단어를 만들지 못하는 접미사가 결합한 경우나 단어의 의미가 본뜻과 멀어진 경우는 소리대로 적는 것을 원칙으로 하고 있다.

① ㉠ - ㉢ - ㉤ - ㉡ - ㉣
② ㉣ - ㉠ - ㉢ - ㉤ - ㉡
③ ㉤ - ㉠ - ㉣ - ㉢ - ㉡
④ ㉣ - ㉠ - ㉤ - ㉢ - ㉡

05 ㉠과 ㉡의 인터뷰에 관한 설명으로 적절하지 않은 것은?

> ㉠ 진행자: 산림 치유 지도사님을 모셨습니다. 안녕하세요.
> ㉡ 지도사: 안녕하세요.
> 진행자: 산림 치유 프로그램에 대해 소개 좀 해 주시겠어요?
> 지도사: 산림 치유원에서는 명상, 체조 등의 활동으로 구성된 산림 치유 프로그램을 운영하고 있습니다. 숲 명상 사례를 잠시 보여 드리겠습니다. (영상 제시) 화면을 보시면서 숲의 짙은 녹음과 맑은 새소리에 집중하다 보면 마음이 편안해지실 겁니다.
> 진행자: 영상으로도 이렇게 마음이 편안해지는데 실제로 체험하면 훨씬 좋겠습니다. 중・장년층이 주로 많이 참여하실 것 같은데 실제로는 어떤가요?
> 지도사: 폭넓은 연령층이 다양하게 참여하는데 최근에는 청소년 대상 프로그램의 인기가 높습니다.
> 진행자: 아마도 학업 스트레스가 누적되어 그런 것 같네요. 산림 치유 프로그램에 참여하면 어떤 점이 좋나요?
> 지도사: (표 제시) 프로그램 참가자를 대상으로 조사한 자료인데요, 참가 전후를 비교해 보면 스트레스 지수의 평균값이 절반 이하로 감소했음을 알 수 있습니다.
> 진행자: 산림 치유 프로그램의 효과가 정말 좋군요.
> 지도사: 진행자께서도 참여하시면 스트레스가 줄어들고 마음이 좀 편해지실 겁니다. 꼭 한번 참여해 보세요.
> 진행자: 네, 그래야겠네요. 참가 신청은 어떻게 하나요?
> 지도사: △△ 누리집에 신청 방법과 프로그램 정보가 안내되어있으니, 그에 따라 신청하시면 됩니다.

① ㉠은 ㉡의 답변을 듣고 자신의 의견을 덧붙인다.
② ㉠의 질문에 ㉡은 보조 자료를 활용하여 답변한다.
③ ㉠은 과거의 경험을 언급하며 ㉡에게 추가 질문을 한다.
④ ㉡은 프로그램의 장점을 언급하며 ㉠의 참여를 권유한다.

06 ㉠~㉣을 수정한 내용으로 적절하지 않은 것은?

> ㉠ '비타민'은 라틴어로 생명이라는 뜻의 '비타'와 질소 복합체라는 뜻의 '아민'이 결합된 합성어로, 생명 유지에 필요한 유기 화합물을 의미한다. 비타민이 ㉡ 에너지원도 아니지만, 각종 물질대사에 관여해 신체 기능을 조절하는 필수 영양소이다. ㉢ 그리고 비타민은 우리 몸에서 스스로 합성되지 못한다. 따라서 음식이나 비타민 보충제 등을 통해 ㉣ 공급해 주어야 한다.

① ㉠: 외래어 표기법에 맞지 않으므로 '바이타민'으로 수정
② ㉡: 대조의 의미를 나타내기 위해 '에너지원은'으로 수정
③ ㉢: 역접의 관계를 나타내기 위해 '그러나'로 수정
④ ㉣: 세 자리 서술어이므로 '우리 몸에 비타민을' 추가

07 밑줄 친 관용 표현의 쓰임이 옳지 않은 것은?

① 이 분야에서 나와 어깨를 견줄 사람은 없다.
② 중요한 업무를 끝내게 되어 어깨가 올라갔다.
③ 그 일은 혼자서가 아닌 어깨를 겯고 함께 해야 가능하다.
④ 아버지에 이어 가업은 네가 어깨에 걸머질 차례이다.

08 ㉠과 ㉡에 대해 비교한 내용으로 적절한 것은?

㉠ 실재론에 따르면 모든 지식은 대상에 대한 경험에서 출발하는데 이때 대상은 인식과 무관하게 독립적·본질적인 속성을 갖추고 있다. 특히 인식의 대상이 되는 세계는 고유한 질서와 법칙 위에 기초해 있는데 이에 대한 인식을 통해 인간은 절대적이며 보편적인 지식을 갖게 된다. 이러한 지식이 타당성을 갖기 위해서는 인식 내용과 인식 대상, 즉 경험적 자료가 정확하게 부합해야 한다. 실재론에서는 인간 경험의 불완전성을 인정하면서도 정신 그 자체는 공허한 것이기 때문에 감각과 정신의 동시 작용이 있어야만 제대로 된 지식이 성립할 수 있다고 본다.

한편, ㉡ 포스트모더니즘 인식론에 따르면 각자가 접하는 실재는 사회적·문화적으로 규정되는 것으로, 인식자의 주관에 따라 다양하다. 따라서 우리의 인식 여부와 무관하게 독립적으로 존재하는 실재가 있다는 것에 대해 확신을 가지고 있지 않다. 또한 언어의 임의성에 의해 세계에 대한 우리의 지식이 구성된다고 보기 때문에 절대적인 불변의 진리를 부정한다. 이는 보편성을 갖는 타당한 지식이란 성립할 수 없으며, 지식은 정해진 질서의 발견이 아닌 개인 정신의 실천을 통한 창조의 결과인 것이다.

① ㉠과 ㉡은 모두 개인 정신의 실천을 중시하였다.
② ㉠과 ㉡은 모두 절대적인 지식을 얻을 수 있다고 본다.
③ ㉡과 달리 ㉠은 지식 획득을 위해 고유한 질서와 법칙을 창조해야 한다고 본다.
④ ㉠과 달리 ㉡은 지식 구성에 언어의 임의성이 영향을 준다고 본다.

09 다음 중 ㉠~㉢에 관한 설명으로 적절하지 않은 것은?

'행정 규제'는 국민의 권리 제한이나 의무 부과와 관련되므로 국회가 제정한 법률에 근거해야 한다. 그러나 최근 행정부나 행정 기관이 제정하는 행정입법에 의한 행정 규제의 비중이 커지고 있다. 그것은 첨단 기술과 관련되거나, 상황 변화에 즉각 대처해야 하거나, 개별 상황을 고려하여 규제를 달리해야 하는 경우가 늘어나기 때문이다.

행정입법의 하나인 ㉠ 행정규칙은 원래 ㉡ 행정부의 직제나 사무 처리 절차에 관한 것으로 고시(告示), 예규 등이 여기에 속한다. 일반 국민에게는 직접 적용되지 않으므로 법률로부터 위임받지 않아도 유효하게 제정될 수 있고, 위임명령 제정 시와 달리 입법예고, 공포 등의 절차를 거칠 필요가 없다. 다만, ㉢ 행정 규제 사항에 관하여 행정규칙이 제정되는 예외적인 경우도 있다. 위임된 사항이 첨단 기술과의 관련성이 매우 커서 위임명령으로는 대응하기 어려워 불가피한 경우, 위임 근거 법률이 행정입법의 제정 주체만 지정하고 행정입법의 유형을 지정하지 않았다면 위임된 사항이 고시나 예규로 제정될 수 있다. 이 경우 행정규칙은 위임명령과 달리, 입법예고, 공포 등을 거치지 않고 제정된다.

① ㉠은 본래 ㉡을 규정하지만, ㉢을 규정하는 경우도 있다.
② ㉠이 ㉡을 규정할 때, 법률의 위임이 요구되지 않는다.
③ ㉠이 ㉢을 규정할 때, 일반 국민은 직접 적용받지 않는다.
④ ㉠이 ㉢을 규정할 때, 입법예고와 공포를 거치지 않는다.

10 다음 글의 서술상의 특징으로 적절하지 않은 것은?

예술 작품의 의미와 가치에 대한 해석과 판단은 비평의 목적과 태도에 따라 달라진다. 주요 방법으로는 맥락주의, 형식주의, 인상주의의 비평이 있다. 맥락주의는 창작 당시 환경, 정치·경제·문화적 상황, 작품이 사회에 미치는 효과 등을 비평의 근거로 삼는다. 예술 작품이 그 시대의 문화를 구체화하며, 예술가가 속한 사회의 특성을 반영한다고 보기 때문이다. 또한 시대적 배경 외에 작가의 심리, 이념 등 가급적 많은 자료로 작품을 분석한다. 그러나 객관적 자료를 중심으로 작품을 비평하려는 맥락주의는 작품의 외적 요소에 치중해 본질을 훼손할 우려가 있다는 비판을 받는다.

이런 맥락주의의 문제를 극복하기 위한 방법으로 형식주의와 인상주의 비평이 있다. 전자는 예술 작품의 형식적 요소와 요소들 간 구조적 유기성의 분석을 중요시한다. 한편, 후자는 모든 분석적 비평을 회의적으로 보며 예술을 객관적 자료로 판단할 수 없다고 본다. "훌륭한 비평가는 대작들과 자기 자신의 영혼의 모험들을 관련시킨다."라는 비평가 프랑스의 말처럼, 이들은 외적 요인들을 배제한 채 비평가의 자유 의지로 작품을 해석하고 판단한다.

① 화제에 대한 다양한 관점을 열거하고 있다.
② 해당 분야의 전문가가 한 말을 직접 인용한다.
③ 다양한 이론들을 평가하여 종합적인 결론을 도출한다.
④ 특정 관점의 문제점을 제시하고 대안적 관점을 소개한다.

11 다음 작품과 관련이 없는 한자성어는?

생사(生死) 길은
예 있으매 머뭇거리고,
나는 간다는 말도
몯다 이르고 어찌 갑니까.
어느 가을 이른 바람에
이에 저에 떨어질 잎처럼,
한 가지에 나고
가는 곳 모르온저.
아아, 미타찰(彌陀刹)에서 만날 나
도(道) 닦아 기다리겠노라.

① 割半之痛　② 各自圖生
③ 輪廻生死　④ 草露人生

12 ㉠~㉣에 대한 설명이 적절하지 않은 것은?

한글맞춤법 규정 제23항
'-하다'나 '-거리다'가 붙는 어근에 '-이'가 붙어서 명사가 된 것은 그 원형을 밝히어 적는다.
[붙임] '-하다'나 '-거리다'가 붙을 수 없는 어근에 '-이'나 다른 모음으로 시작되는 접미사가 붙어서 명사가 된 것은 그 원형을 밝히어 적지 아니한다.
㉠ 얼루기 ㉡ 부스러기 ㉢ 깔쭉이 ㉣ 배불뚝이

① ㉠은 제23항의 붙임에 따라 원형을 밝혀 적지 않는다.
② ㉡은 '-거리다'가 붙을 수 있는 어근에 접미사가 붙었다.
③ ㉢은 제23항에 따라 원형을 밝혀 적는다.
④ ㉣은 '불뚝하다', '불뚝거리다'의 어근에 접미사가 붙었다.

13 다음 발표에 대한 설명으로 적절하지 않은 것은?

> 우리 혀의 미각 세포는 단맛, 짠맛, 신맛 등과 같은 기본적인 맛을 느끼게 해줍니다. 그렇다면 떫은맛은 어떤 감각에 속하는지 기억나시나요? (대답을 듣고) 네 맞습니다. 떫은맛은 입속 점막의 피부 조직이 자극을 받아 느껴지는 촉각에 해당합니다. 떫은맛을 내는 성분은 혀 점막의 단백질과 결합하는데 그때 생기는 물질이 점막을 자극합니다. 이 자극으로 인한 텁텁한 느낌을 떫은맛이라고 하는 거죠.
>
> (사진을 보여 주며) 이것은 감의 단면인데 과육 사이에 보이는 검은 점들을 본 적이 있으시죠? 이 점들이 떫은맛을 내는 성분인 타닌입니다. 덜 익은 감의 타닌은 침에 녹아 떫은맛을 느끼게 하지만, 감이 익으면서 침에 녹지 않는 성질로 변해 잘 익은 감에서는 떫은맛이 느껴지지 않습니다.
>
> 떫은맛이 나는 식품을 적당히 먹으면 건강에 도움이 됩니다. 연구에 따르면 떫은맛을 내는 타닌이 든 감과 녹차는 당뇨와 고혈압 등을 개선하는 기능이 있다고 합니다. 다만 이런 식품을 너무 많이 섭취하면 입이 마르고, 대장에서 수분 흡수율이 지나치게 높아져 속이 불편할 수 있으니 적당히 섭취하는 게 좋다고 합니다. 이상으로 발표를 마칩니다.

① 화제를 제시하면서 용어의 개념을 정의한다.
② 자료 화면을 통해 복잡한 내용을 도식화한다.
③ 화제와 관련한 배경지식을 환기하는 질문을 한다.
④ 연구 결과를 제시하여 인체에 미치는 영향을 설명한다.

14 다음 작품의 내용에 대한 이해로 적절하지 않은 것은?

> 최일경이 동래 원찬 후 조용히 지낸 지 삼 년이라. 매일 귀양에서 풀려나기를 바라더니, 왜적이 동래로부터 팔도를 엄습하거늘, 일경이 잠깐 국사를 생각하니 만분 위태한지라.
>
> '비록 왕명은 없으나 본국 신민이 되어 국사에 죽어도 어찌 한이 있으리오.' / 하고 행장을 차려 경성으로 향하고 올라올새, 사방에 길이 막혀 통래치 못할지라. 해변으로 돌아 하루 이백 리씩 행하여 한양을 바라보니, 왜적이 성을 둘러싸고 전하는 피란하신지라. 슬픔을 참지 못하여 방성대곡하며 어디로 가신 줄을 몰라 생각하니,
>
> '의주로 가셨도다.' / 하고 의주로 가니 과연 통곡성에 계시거늘, 들어가 복지 주왈, / "불충신 최일경은 중죄를 입사옵고 어명 없이 왔사오니, 신의 죄는 만사무석이로소이다."
>
> 전하 일희일비하사 일경의 손을 잡고 용루 흘리시며 왈,
>
> "과인이 불명하여 경을 천 리 밖에 보내고 이같이 대환을 당하니 누구를 원망하리오. 차후로 경을 잊지 못하였으나, 마침 부르지 못하고 오늘 경을 대하니 도리어 꿈같도다. 그러하니 경은 혐의치 말고 방적을 의논하라."
>
> 일경이 주왈, / "이제 장졸이 없사오니 어찌하오리까. 아무리 생각하여도 속수무책이오나, 오늘 사시에 반가운 소식이 있을 듯하오나 어찌 믿사오리까. 평안도 용강 땅에 김응서라 하는 장수가 있사오니 바삐 부르시옵소서."
>
> 즉시 전하 차사를 용강으로 보내고, 사시를 기다리더니, 남방으로 좇아 천여 군병이 들어오거늘, 자세히 보니 빠르기 풍우 같아 순식간에 다다르니, 일원 대장이 일천팔백 근 투구를 쓰고 용인갑을 입고 호달마를 타고 칠 척 검을 들고 신장이 구 척이라.
>
> – 작자 미상, 〈임진록〉 –

① 최일경은 왕명 없이 귀양지를 떠나 임금을 찾아갔다.
② 왕은 최일경을 멀리 유배 보냈던 것에 대해 후회하였다.
③ 최일경은 지원군이 오지 않을 경우를 대비하고자 하였다.
④ 김응서가 임금의 부름을 받아 군대를 이끌고 달려 왔다.

15 '왕충'의 사상에 대한 설명으로 적절하지 않은 것은?

> 후한 시대의 사상가인 왕충은 당시 유교 중심의 사고에서 벗어나 독자적 학문 체계를 구축했다. 그는 천인감응설에 반대하면서 천재지변이 자연적 현상일 뿐이며, 임금의 부덕과는 상관이 없다고 보았다. 하늘의 뜻이라는 것은 무위(無爲)이며, 여기에는 어떠한 목적과 의지도 담겨 있지 않다고 생각한 것이다. 따라서 하늘과 인간의 관계를 정쟁의 도구로 삼았던 당대의 학문적 풍토를 비판했다. 그는 경학의 성명론 또한 비판하며 '성명분리론(性命分離論)'을 주장했다. 행실에 선악이 있는 것은 성 때문이며, 빈부나 귀천이 있는 것은 명 때문인데, 기(氣)의 작용으로 성과 명이 이루어지지만 각각 인간 운명에 관한 다른 영역을 담당하는 것이라고 했다. 그의 성명분리론은 빈부와 귀천에 이르는 행운과 불행이 궁극적으로 인간의 성과 무관하다는 것을 의미한다.
> 왕충의 학문적 사상에 바탕은 인간을 포함한 만물이 기(氣)에서 비롯된다는 '기일원론'이다. 이에 따르면 기란 시공간적으로 무한하며 우주에 충만한 것으로 만물의 발생과 소멸은 모두 기의 무위적 작용에 의한 것이다. 또 하늘은 자연물에 불과하며, 인간의 삶과 죽음도 각각 기가 모이고 흩어지는 것에 지나지 않는다고 했다. 이러한 사유를 통해 인간의 본성이 주어지는 것은 기의 무위적 작용에 따른 우연의 산물일 뿐이라고 보았다. 왕충은 인간의 본성과 선악의 정도가 하늘로부터 부여받는 기의 정조후박에 따라 사람마다 모두 차이가 난다고 보았다. 이때 특정한 이에게 의도적으로 좋은 본성이나 나쁜 본성을 주지는 않는다. 이는 하늘이 성인을 낳는다는 말에 대한 반박이자 군주의 지배를 합리화하는 것에 반대하는 것이다. 이러한 주장은 사람들에게 유교에 대한 인식을 새롭게 했다는 의의를 지닌다.

① '성명분리론'에서는 선악이 빈부귀천을 결정한다고 본다.
② 정치와 자연 현상을 분리하여 생각하였다.
③ 인간의 삶과 죽음을 기의 무위적 작용으로 본다.
④ 성인(聖人)은 하늘로부터 후한 기를 받은 사람이지만, 선택된 것으로 보지는 않았다.

16 (가)와 (나) 작품을 비교한 내용으로 적절하지 않은 것은?

> (가)
> 삼공(三公)이 귀타 ᄒᆞᆫ들 이 강산(江山)과 바꿀소냐
> 편주(片舟)에 ᄃᆞᆯ을 싯고 낙대를 흣더질 제
> 이 몸이 이 청흥(淸興) 가지고 만호후(萬戶侯)* 인들 부르랴
>
> – 김광욱, 〈율리유곡〉 –
>
> (나)
> 누고셔 삼공(三公)도곤 낫다ᄒᆞ더니 만승(萬乘)이 이만ᄒᆞ랴.
> 이제로 헤어든 소부허유(巢父許由)ㅣ 냑돗더라.
> 아마도 임천한흥(林泉閑興)을 비길 곳이 업세라.
>
> * 만호후: 재력과 권력을 겸비한 제후나 세도가

① (가)와 (나) 모두 '삼공'보다 자연을 더 중요시한다.
② (가)의 중장과 (나)의 종장은 풍류와 관련이 있다.
③ (가)와 달리 (나)에서는 중국 고사를 인용하고 있다.
④ (나)와 달리 (가)에는 자연을 빗댄 표현이 나타난다.

17 다음 글에서 찾을 수 없는 정보는 무엇인가?

> 항(抗)미생물 화학제는 세균, 진균, 바이러스 등 병원체의 수를 억제하고 전염병을 예방하기 위한 목적으로 사용하는 방역용 화학 물질이다. 이것은 다양한 병원체가 공통으로 갖는 구조를 구성하는 성분들에 화학 작용을 일으키므로 광범위한 살균 효과가 있다. 항미생물 화학제는 포자의 파괴 여부에 따라 멸균제와 감염방지제로 분류되며, 감염방지제 중 독성이 약해 인체에 사용이 가능한 것이 소독제이다.
>
> 항미생물 화학제의 작용기제는 병원체의 표면을 손상시키는 방식과 병원체 내부에서 대사 기능을 저해하는 방식으로 나누어지는데, 두 기제가 함께 작용하는 경우가 많다. 알코올 화합물은 병원체의 세포막 또는 피막의 지질을 용해시키고 단백질을 변성시키며, 병원성 세균에서는 세포벽을 약화시킨다. 산화제는 바이러스의 표면 구조를 이루는 캡시드를 손상시키는 기능이 있다. 한편 병원체의 표면에 생긴 손상이 병원체를 사멸시키는 데 충분하지 않더라도 알킬화제와 산화제가 병원체의 내부로 침투하면 필수적인 물질 대사를 정지시키므로 살균 효과가 증가한다.

① 항미생물 화학제의 개념
② 항미생물 화학제의 종류
③ 항미생물 화학제의 제조 방법
④ 항미생물 화학제의 작용 원리

18 예상 독자를 고려한 내용 중 초고에 반영되지 않은 것은?

> ‘인포그래픽’은 복합적인 정보의 배열이나 정보 간의 관계를 시각적인 형태로 나타낸 것이다. 정보가 넘쳐나고 정보에 주의 집중하는 시간이 점차 짧아짐에 따라 인포그래픽에 대한 관심이 높아졌다. 특히 소셜 미디어의 등장으로 정보 공유가 용이한 인포그래픽의 쓰임이 더욱 확대되고 있다.
>
> 인포그래픽을 통해 독자들은 정보 처리 시간을 절감할 수 있다. 글은 문자로 된 정보를 모두 읽어야 내용을 파악할 수 있지만, 인포그래픽은 시각 이미지로 한눈에 정보를 파악할 수 있다. 또한 한 학회지에 실린 논문에 따르면, 인포그래픽을 통해 독자들이 정보에 주목하는 정도를 높이고, 지속 시간을 길게 하는데 유의미한 영향을 미친다고 하였다.
>
> 단순히 시각적인 형태로 복합적인 정보를 나타냈다고 해서 잘 만들어진 인포그래픽은 아니다. 좋은 인포그래픽은 정보를 한눈에 파악하게 하는지, 단순한 형태와 색으로 구성됐는지, 최소한의 요소로 정보의 관계를 나타냈는지, 재미와 즐거움을 주는지 등을 기준으로 판단해 봐야 한다. 시각적 재미에만 치중한 인포그래픽은 오히려 정보 전달력을 떨어뜨릴 수 있으므로 주의해야 한다. 이러한 인포그래픽에 대해 보다 잘 이해하고 이를 적극적으로 활용한다면 빅데이터 시대에 정보를 처리하는데 큰 도움이 될 것이다.

① 인포그래픽이 널리 쓰이게 된 배경을 밝힌다.
② 예상 독자가 얻을 수 있는 효용이 드러나도록 한다.
③ 일반적인 글과 비교해 인포그래픽이 지닌 장점을 밝힌다.
④ 인포그래픽의 다양한 유형을 나누는 기준을 열거한다.

19 다음 작품의 표현상 특징으로 가장 적절하지 않은 것은?

눈 내리는 겨울밤이 깊어갈수록
눈 맞으며 파도 위를 걸어서 간다.
쓰러질수록 파도에 몸을 던지며
가라앉을수록 눈사람으로 솟아오르며
이 세상을 위하여 울고 있던 사람들이
또 이 세상 어디론가 끌려가는 겨울밤에
굳어 버린 파도에 길을 내며 간다.
먼 산길 짚신 가듯 바다에 누워
넘쳐 버릴 파도에 푸성귀로 누워
서러울수록 봄눈을 기다리며 간다.
다정큼나무 숲 사이로 보이던 바다 밖으로
지난 가을 산국화도 몸을 던지고
칼을 들어 파도를 자를 자 저물었나니
단 한 번 인간에 다다르기 위해
살아갈수록 눈 내리는 파도를 탄다.
괴로울수록 홀로 넘칠 파도를 탄다.
어머니 손톱 같은 봄눈 오는 바다 위로
솟구쳤다 사라지는 우리들의 발.
사라졌다 솟구치는 우리들의 생(生).

– 정호승, 〈파도타기〉 –

① 공간의 이동에 따라 시상을 전개하고 있다.
② 명사로 시행을 마무리하여 시적 여운을 주고 있다.
③ 역동적 이미지를 활용하여 생동감을 자아내고 있다.
④ 유사한 통사 구조를 반복하여 운율을 형성하고 있다.

20 등장인물에 대한 서술상의 특징으로 적절한 것은?

안승학은 원래 이 고을 읍내에서 살았다. 지금부터 이십 년 전만 해도 그는 다 찌그러진 오막살이에서 콩나물죽으로 연명하던 처지였다. 그러던 사람이 오늘은 수백 석 추수를 하고 서울 사는 민판서 집 사음*까지 얻어서 이 동리로 옮겨 앉은 것이다.

그것은 안승학의 근본을 아는 사람은 누구나 놀랄 만한 일이었다. 그는 지체도 없고 형세도 없이 타관에서 떠들어온 사람이었다. 그러므로 이 고을에는 그의 일가친척이라고는 면 서기를 다니는 아우 하나밖에 아무도 없다. 그의 부친은 경기도 죽산이라던가 어디서 호방 노릇을 하던 아전이었다는데 승학이가 성년 되기 전에 별세하고 그의 모친도 부친이 돌아간 지 삼 년 만에 마저 세상을 떠났다 한다. 그래서 거기서는 살 수가 없어서 아내와 어린 동생 하나를 데리고 이 고장으로 들어왔다. 이 고을 읍내에는 그의 처가가 사는 터이므로.

* 사음 : 마름, 지주를 대리하여 소작권을 관리하는 사람.

① 요약적 서술을 통해 정보를 개괄적으로 제시하고 있다.
② 묘사적 서술을 통해 성격을 간접적으로 제시하고 있다.
③ 병렬적 서술을 통해 다양한 평가를 나열하고 있다.
④ 회고적 서술을 통해 반성적 태도를 드러내고 있다.

제3회 국어 모의고사

01 ㉠에 들어갈 설명으로 가장 적절한 것은?

> 동사 '보다'의 어간 '보-'에 어미 '-아'가 결합하여 [봐:]로 발음되는 경우에 대한 음운 변동의 유형
> 1. 축약 : 'ㅗ'와 'ㅏ'가 'ㅘ'로 줄어드는 현상 자체에 주목함.
> 2. 교체 : 'ㅗ+ㅏ → w+ㅏ'에서 'ㅗ'가 'w'로 바뀐 것으로 봄. 즉, 반모음이 [㉠]에 주목함.

① 음절을 이룰 수 있는지
② 음운의 자격을 지닌다는 점
③ 어떤 단모음과 결합하는지
④ 단모음의 앞에 위치한다는 점

02 다음의 내용을 참고하여 추론한 내용으로 옳지 않은 것은?

> 합성어는 구성 요소들의 결합 방식이 우리말 문장에서 보편적으로 나타나는 통사 구성 방식에 부합하는가에 따라 통사적 합성어와 비통사적 합성어로 나뉠 수 있다.

① '보살피다'는 '가 버리다'와 같이 용언의 어간끼리 구성된다는 점에서 통사적 합성어이다.
② '어느새'는 '새 옷'과 같이 관형사와 명사로 구성된다는 점에서 통사적 합성어이다.
③ '잘하다'는 '빨리 가다'와 같이 부사와 용언으로 구성된다는 점에서 통사적 합성어이다.
④ '뜬소문'은 '큰 인형'과 같이 용언의 관형사형과 명사로 구성된다는 점에서 통사적 합성어이다.

03 다음 예문에 쓰인 접사에 대한 설명으로 적절한 것은?

> ㉠ 이사를 하느라 상자를 높이 쌓아 두었다.
> ㉡ 뒷사람이 갑자기 밀쳐서 바닥에 넘어졌다.
> ㉢ 할머니께서는 동생에게 먹이려고 간식을 사 오셨다.
> ㉣ 허황된 헛꿈은 얼른 버리는 것이 좋다.
> ㉤ 채소밭이 사람들에게 짓밟혀 엉망이 되었다.

① 접미사가 결합하여 ㉠과 ㉣의 품사가 서로 같아졌다.
② ㉡과 ㉢에 쓰인 접미사는 주동사를 사동사로 바꿔 준다.
③ ㉢은 ㉣과 마찬가지로 접미사 뒤에 용언의 어미가 온다.
④ ㉣, ㉤은 접두사와 접미사를 모두 가지고 있는 단어이다.

04 ㉠에 들어갈 수 있는 단어 중 사전 등재 순서에 맞는 것은?

> 뱃멀미 − [㉠] − 볍씨
>
> 별장, 뻴궇다, 베개, 뱁새, 벚꽃, 벼르다, 배달

① 배달 − 벚꽃 − 베개 − 별장
② 벚꽃 − 베개 − 벼르다 − 별장
③ 뱁새 − 뻴궇다 − 베개 − 벼르다
④ 배달 − 뱁새 − 벚꽃 − 베개

05 다음의 표제어와 관련한 설명으로 적절하지 않은 것은?

- 붓다[1][붇ː따]: 부어[부어], 부으니[부으니], 붓는[분ː는]
  살가죽이나 어떤 기관이 부풀어 오르다.
- 붓다[2][붇ː따]: 부어[부어], 부으니[부으니], 붓는[분ː는]
  [1] 【…에/에게 …을】 액체나 가루 따위를 다른 곳에 담다.
  [2] 【…에/에게 …을】 불입금, 이자, 곗돈 따위를 일정한 기간마다 내다.
- 붇다[붇ː따]: 불어[부러], 불으니[부르니], 붇는[분ː는]
  [1] 물에 젖어서 부피가 커지다.
  [2] 분량이나 수효가 많아지다.
- 불다[불ː다]: 불어[부러], 부니[부ː니], 부오[부ː오]
  [1] 바람이 일어나서 어느 방향으로 움직이다.
  [2] 【…에】 유행, 풍조, 변화 따위가 일어나 휩쓸다.
  [3] 【…을】 입을 오므리고 날숨을 내어보내어, 입김을 내거나 바람을 일으키다.

① '붓다[1]'의 어간에 모음으로 시작하는 어미가 결합하면 어간의 'ㅅ'이 탈락한다.
② '붓다[2] [1]'의 예문으로는 '꽃병에 물을 붓다.', '붓다[2] [2]'의 예문으로는 '은행에 적금을 붓다.'를 쓸 수 있다.
③ '불다[1]'은 한 자리 서술어, '불다[2]'와 '불다[3]'은 두 자리 서술어이다.
④ '붓다[1]', '붓다[2]', '붇다', '불다'의 어간에 어미 '-는'이 결합한 네 단어는 동음이의 관계이다.

06 다음 작품의 ㉠과 ㉡에 대한 이해로 적절하지 않은 것은?

㉠ 높으디높은 산마루
낡은 고목(古木)에 못 박힌 듯 기대어
내 홀로 긴 밤을/ 무엇을 간구하며 울어 왔는가.

아아 이 아침/ 시들은 핏줄의 구비구비로
사늘한 가슴의 한복판까지/ 은은히 울려오는 종소리.

이제 눈감아도 오히려/ 꽃다운 하늘이거니
내 영혼의 촛불로/ 어둠 속에 나래 떨던 샛별아 숨으라.

환히 트이는 이마 우
떠오르는 햇살은/ 시월상달의 꿈과 같고나.

메마른 입술에 피가 돌아
오래 잊었던 피리의/ 가락을 더듬노니

새들 즐거이 구름 끝에 노래 부르고
사슴과 토끼는/ 한 포기 향기로운 싸릿순을 사양하라.

㉡ 여기 높으디높은 산마루
맑은 바람 속에 옷자락을 날리며
내 홀로 서서/ 무엇을 기다리며 노래하는가.

- 조지훈, 〈산상(山上)의 노래〉 -

① ㉠과 ㉡의 시적 공간은 같지만, 시적 상황은 달라졌다.
② ㉠에 나타나는 화자의 고통스러운 모습이 ㉡에서는 미래에 대한 희망찬 모습으로 변모하였다.
③ ㉠에서 간구하던 '무엇'은 ㉡의 '무엇'을 기다리며 '노래'함으로써 이루어지게 되었다.
④ ㉠에서 화자는 생명력 회복을 기원하였으나, ㉡에서는 생명력이 회복된 이후의 소망을 드러내고 있다.

07 다음 중 한자 표기와 의미가 적절하지 않은 것은?

> 최근 ICT 다국적 기업에 대한 과세 문제가 불거지고 있다. ICT 다국적 기업이 자회사를 각국에 세워 법인세를 줄이려 하기 때문이다. 하지만 ICT 다국적 기업의 본사를 많이 ㉠ 보유한 국가 중에서도 어떤 국가들은 ICT 다국적 기업의 활동을 통한 산업 주도권을 유지하기 위해 디지털세 도입에 방어적이다.
>
> 이론적으로 봤을 때 지식 재산의 보호가 약할수록 유용한 지식 창출의 ㉡ 유인이 저해되어 지식의 진보가 정체된다. 반면, 지식 재산의 보호가 강할수록 해당 지식에 대한 접근을 막아 소수의 사람만이 혜택을 보게 된다. 전자로 발생한 손해를 유인 비용, 후자로 발생한 손해를 접근 비용이라고 할 때, 두 비용의 합이 최소가 될 때 지식 재산 보호의 최적 수준이 될 것이다. 각국은 그 수준에서 자국의 지식 재산 보호 수준을 설정한다. 한 연구에서는 국민 소득이 일정 수준 이상인 상태에서는 국민 소득이 증가할수록 특허 보호 정도가 강해지는 ㉢ 경향이 있지만, 가장 낮은 소득 수준을 벗어난 국가들은 그들보다 소득 수준이 낮은 국가들보다 오히려 특허 보호가 약한 것으로 나타났다. 이는 지식 재산 보호의 최적 수준에 대해서도 국가별 입장이 다름을 ㉣ 시사한다.

① ㉠ 保有: 가지고 있거나 간직하고 있음
② ㉡ 誘因: 어떤 일 또는 현상을 일으키는 원인
③ ㉢ 傾向: 현상, 사상, 행동 따위가 어떤 방향으로 기울어짐
④ ㉣ 時事: 어떤 것을 미리 간접적으로 표현해 줌

08 다음 중 연설자의 말하기 방법으로 적절하지 않은 것은?

> 환경의 날을 맞이하여 지구 온난화를 늦추는 데 기여하는 연안 생태계의 가치와 보호에 대한 관심을 촉구하고자 합니다. 얼마 전 우리나라에 대형 태풍이 연달아 오고, 또 집중호우로 인해 큰 피해를 입었었지요? 수재민들의 모습을 보니, 작년 환경의 날에 시청한 방송에서 작은 빙하에 의지한 채 바다를 부유하던 북극곰의 모습이 떠올랐습니다. 두 가지 모두 인간이 만들어내는 이산화탄소로 인해, 지구 온난화가 일어나서 발생한 일이기 때문입니다.
>
> 2019년 통계에 따르면 우리나라의 이산화탄소 배출량은 세계 11위에 해당하는 높은 수준입니다. 대기 중 이산화탄소 흡수를 위한 산림 조성에 힘써 왔지만, 우리가 놓치고 있는 이산화탄소 흡수원이 있습니다. 바로 연안 생태계입니다. 물론 연안 생태계의 역할이 얼마나 크겠냐고 의문을 제기하는 분도 계실 것입니다. 하지만 연안 생태계를 구성하는 갯벌과 염습지의 염생 식물, 식물성 플랑크톤 등은 광합성을 통해 대기 중 이산화탄소를 흡수하는데, 산림보다 이산화탄소 흡수 능력이 뛰어납니다. 2018년 통계에 따르면, 산림의 약 4% 면적에 불과한 갯벌의 연간 이산화탄소 흡수량은 산림의 약 37%이며 흡수 속도는 수십 배에 달합니다.
>
> 이산화탄소에 의한 지구 온난화를 늦추지 못한다면 북극곰의 눈물과 우리의 눈물은 멈추지 않을 것입니다. 지구 온난화를 막을 수 있는 작은 실천들과 함께 지구의 보물인 연안 생태계를 보호하고 그 가치를 알리는 데 동참합시다.

① 예상되는 반론을 언급하여 상황의 심각성을 인식시킨다.
② 청중과 공유하는 경험을 언급해 청중의 관심을 유도한다.
③ 비유적 표현을 활용하여 주장의 호소력을 높인다.
④ 통계 자료를 근거로 활용하여 주장의 신뢰성을 높인다.

09 다음에서 설명한 '요령의 격률'을 사용한 대화는 무엇인가?

> 대화 참여자들 사이에서 공손하고 예의 바르게 말을 주고받는 태도를 '공손성의 원리'라고 한다. 이 원리는 '요령', '관용', '찬동', '겸양', '동의'의 격률로 이루어져 있다. 이 중 '요령의 격률'은 상대방에게 부담이 되는 표현은 최소화하고 상대방의 이익이 되는 표현을 극대화하는 방법이다.

① 가: 제가 눈이 잘 안 보여서 글씨를 크게 써 주시겠어요?
　나: 네, 알겠습니다.
② 가: 꼼꼼하게 수리해 주셔서 감사합니다.
　나: 천만에요. 손이 좀 더뎌서 오래 걸렸네요.
③ 가: 혹시 시간 날 때 마트에 잠시 다녀와 줄 수 있나요?
　나: 그럴게요. 필요한 거 있으면 알려 주세요.
④ 가: 우리 점심 때 냉면 먹으러 가자.
　나: 저도 냉면 정말 좋아하는데 시간이 없어서…. 오늘은 사무실에서 간단히 먹어야 할 것 같아요.

10 다음 내용을 토대로 작품 감상할 때 적절하지 않은 것은?

> 조선의 사대부들은 자연에 하늘의 이치가 구현된 것으로 보아 자연의 미를 관념적으로 형상화했다. 정철의 작품에는 자연의 미를 현실에서 발견해 사실적으로 묘사하는 부분이 나타난다는 점이 특별하다. 또한 그는 자연을 바라보며 사회적 책무를 떠올리고, 자연에 투사된 이상적 인간상을 모색하기도 했다.

> 개심대 고텨 올나 중향셩 바라보며
> 만이천봉을 녁녁(歷歷)히 혀여 하니
> 봉마다 맺쳐 잇고 긋마다 서린 긔운
> 맑거든 조티 마나 조커든 맑디 마나
> 뎌 긔운 흐터 내야 인걸을 만들고쟈
> 천지 삼기실 제 자연이 되연마는
> 이제 와 보게 되니 유졍(有情)도 유졍할샤
> [중략]
> 그 알픠 너러바회 화룡소 되어셰라
> 천년 노룡(老龍)이 구비구비 서려 이셔
> 주야의 흘녀 내여 창해(滄海)예 니어시니
> 풍운을 언제 어더 삼일우(三日雨)를 디련느냐
> 음애예 이온 플을 다 살와 내여스라
> 마하연 묘길상 안문재 너머 디여
> 외나모 써근 다리 불정대 올라 하니
> 천심(千尋) 절벽을 반공애 셰여 두고
> 은하수 한 구비를 촌촌이 버혀 내여
> 실가티 플텨 이셔 베가티 거러시니
> 도경(圖經) 열두 구비 내 보매는 여러히라

① '중향성'을 보며 천지가 '유졍'하다는 것은 작가가 지향하는 이상적 인간상을 자연에 투사한 것이다.
② '개심대'에서 '뎌 긔운 흐터 내야 인걸을 만들'겠다는 표현은 작가 자신의 사회적 책무가 떠올랐기 때문이다.
③ '화룡소'의 굽이치는 물을 '노룡'에 비유하고, 이를 동시에 작가의 상징으로 사용하여 선정에의 포부를 드러낸다.
④ '불정대'에서 본 폭포를 '실'이나 '베'와 같은 구체적 사물을 활용하여 자연을 사실감 있게 나타내고 있다.

11 다음 글을 읽고 빈칸에 들어갈 말로 가장 적절한 것은?

> 고대 그리스 철학자 헤라클레이토스는 모든 것은 끊임없이 변하며, 동일하게 유지되는 것은 아무것도 없다고 말했다. 연속적인 변화의 상태 각각을 가리키기 위해 일일이 다른 말을 사용해야 하므로 그것을 나타내는 낱말이 무한히 필요하게 된다. 그래서 우리는 일상생활에서 유사점에 의해 분류된 사물들의 집단을 가리키는 낱말을 사용한다.
>
> 물론 사람의 경우에는 각각 고유 명사를 사용한다. 하지만 헤라클레이토스는 대상의 개별성에 주목하지 않고 집단을 가리키는 낱말을 사용할 경우, '동일시의 오류'가 생길 수 있다고 말할 것이다. 만일 각각의 개별적 사물들을 다르게 지

칭하고 각각의 특성에 주목한다면, 이것들을 하나의 관념으로 묶지 않을 것이고 동일한 특성을 갖는 것으로 간주하지 않을 것이다. 헤라클레이토스는 만물의 상태가 끊임없이 변한다는 것을 언어가 간과하고 있으며, 우리가 동일시의 오류를 범하게 하는 경향이 있음을 지적하려고 한 것이다.

헤라클레이토스가 보기에 언어는 [　　　　] 이다. 동전에는 양면이 있기 마련인데, 세상도 그러하므로 우리는 공통적인 속성을 지닌 사물들을 가리키는 낱말이 필요하다. 만일 고유 명사만 있었다면 '사람'이라는 일반적 용어가 아예 없었을 것이다. 그러나 이 일반적 용어는 그들이 공통으로 가진 것이 무엇인지 일깨워 준다는 점에서 의미가 있다.

① 끝없이 창조 가능한 관념
② 개별 존재를 담는 유일한 형식
③ 고정되어 있지 않은 유동적 실체
④ 세계를 다루는 불완전한 방식

12 다음 글의 화제에 대한 설명으로 적절하지 않은 것은?

과거제는 시험 성적이라는 합리적 기준에 따른 관료 선발 제도라는 점에서 동아시아 사회에서 오랫동안 유지되어 왔다. 공정성을 바탕으로 보다 많은 이들에게 사회적 지위 획득의 기회를 부여하여 개방성을 제고함으로써 사회적 유동성을 증대시켰다. 익명성을 확보하기 위해 여러 가지 장치를 도입하는 것은 공정성 강화를 위한 노력의 일환이다.

과거제의 사회적 효과 중 하나는 학습 동기를 제공해 교육의 확대와 지식 보급에 기여했다는 점이다. 그 결과 통치에 참여할 능력을 갖춘 지식인 집단이 폭넓게 형성되었고 유교 경전을 통해 도덕적 가치 기준을 광범위하게 공유하게 되었다. 또한 최종 단계까지 통과하지 못하더라도 국가가 여러 특권을 부여하고, 그들이 지방 사회에 기여하도록 하여 경쟁적 선발 제도의 부작용을 완화하고자 노력했다.

과거제는 왕조 교체에도 불구하고, 동질적인 지배층을 형성하여 관료제 통치의 안정성에도 기여했다. 이는 세계적으로 드문 현상이라 과거제에 대한 정보가 선교사들을 통해 유럽에 전해져 많은 관심을 불러일으켰다. 유럽 계몽 사상가들은 세습적 지위보다 학자의 지식이 우위에 있는 과거제와 같은 체제를 정치적 합리성을 갖춘 것으로 보았다.

① 세습적 권리보다는 능력 중심의 관리 선발 시험이다.
② 익명성 확보를 통해 지위 획득의 개방성을 높일 수 있다.
③ 지식인 집단을 형성하여 왕조 중심의 통치에 기여했다.
④ 관리로 최종 선발되지 않더라도 혜택과 함께 사회적 역할을 수행하도록 했다.

13 ㉠~㉣을 고쳐 쓰기 위한 방안으로 적절하지 않은 것은?

'훈민정음'의 서문에는 훈민정음의 제작 목적이 제시되어 있다. '사ᄅᆞᆷ마다 ᄒᆡᅇᅧ 수ᄫᅵ 니겨 날로 ᄡᅮ메 便安킈 ᄒᆞ고져 ᄒᆞᇙ ᄯᆞᄅᆞ미니라', 즉 사람들이 일상에서 문자 생활을 ㉠ 하는데 불편함이 없게 하겠다는 것이다. ㉡ 하지만 훈민정음으로 기존의 한자를 완전히 대체하려고 한 것은 아니다. 훈민정음 창제 이후에 간행된 책 가운데 한자 없이 순수하게 훈민정음으로만 쓰인 책은 ㉢ 없다. 당시의 지배층들은, 한자는 한자대로 훈민정음은 훈민정음대로 그 존재 가치를 인정함으로써 한자와 훈민정음이 그 나름의 영역에서 ㉣ 쓰여지도록 하는 이중적인 문자 생활을 추구한 것은 아닐까?

① ㉠: 문장의 의미를 고려하여 '하는'과 '데'를 띄어 써야겠어.
② ㉡: 앞 문장과의 연결 관계를 고려하여 접속 표현을 '결국'으로 바꾸어 써야겠어.
③ ㉢: 근거에 해당하는 문장임을 고려하여 '없다'를 '없기 때문이다'로 바꾸어 써야겠어.
④ ㉣: 피동 표현이 중첩되어 사용되었으므로, '쓰이도록'으로 고쳐야겠어.

14 제시된 문장이 들어갈 곳으로 가장 적절한 것은?

> 그리고 대용 표현은 담화에서 언급된 말, 혹은 뒤에서 언급될 말을 대신하는 표현이다.

> 담화는 하나 이상의 발화나 문장으로 이루어진다. 담화가 그 내용 면에서 완결성을 갖추기 위해서는 담화를 이루는 발화나 문장들이 일관된 주제 속에 내용상 유기적인 관련을 맺고 있어야 한다. 이때 각 발화나 문장 간의 관련성을 보여 주는 형식적 장치가 필요하다. 이러한 장치에는 지시, 대용, 접속 표현이 있다. ① 우선 지시 표현은 담화 장면을 구성하는 화자, 청자, 사물, 시간, 장소 등의 요소를 직접 가리키는 표현이다. ② 대표적인 지시 표현으로는 '이, 그, 저' 등이 있다. ③ 이들이 담화에서 언급되는 말을 대신할 때는 대용 표현이 된다. ④ 끝으로 접속 표현은 문장과 문장, 발화와 발화를 연결해 주는 표현으로, '그리고' 등과 같은 접속 부사가 대표적인 예이다.

15 다음 글의 내용 전개 방식으로 적절한 것은?

> 피츠너는 연주자가 작품을 변형하는 것은 예술성을 해치는 것이라 비판하였고, 연주의 정확성만이 기술적으로나 미학적으로 성공한 연주의 조건이 된다고 보았다.
>
> 그런데 이런 연주론을 비판하며 음악 작품이 작곡가로부터 분리되어 다양하게 재구성될 수 있다고 주장한 것이 파울 베커이다. 그는 순간적인 울림을 통해서만 음악의 진정한 의미를 얻을 수 있다고 보았다. 이를 바탕으로 그는 이상적 연주를 '즉흥 연주'로 보고, '재생산적 연주'를 비판했다. 베커는 악보로 기보된 것은 미완성이고 연주 활동은 미완성을 완성으로 이끄는 작업이라 보았다. 그에게 진정한 연주란 연주자의 상상력이 보장될 때 나오는 즉흥 연주이다. 이 관점은 연주자가 작곡가와 동등한 위치에 서게 해주었다.
>
> 다누저는 분석적 해석론이란 개념으로 작품 해석의 이론적 측면과 작품 연주의 실제적 측면을 연결시키려 했다. 그는 분석이나 이론적 고찰로 작품을 이해하려는 작업뿐 아니라, 음향학적으로 재현하는 연주 작업도 해석이라고 보았다. 즉, 개별 작품에 대한 이론적 분석을 통해 해당 작품의 연주를 위한 최선의 방법을 모색하는 것을 목적으로 삼았다.

① 다양한 연주론이 등장한 시대적 배경을 고찰하고 있다.
② 작곡의 중요성과 연주의 중요성을 비교·대조하고 있다.
③ 음악 연주를 바라보는 이론가들의 견해를 설명하고 있다.
④ 음악의 연주론이 현대 음악에 미친 영향과 그 전망을 소개하고 있다.

16 다음 글의 내용과 일치하지 않는 것은?

> 대체로 약은 병원체에 작용하거나 생체에 직접 작용을 한다. 박테리아나 바이러스에 의한 질병을 치료하는 항생제나 항바이러스제 등은 전자의 경우가 많다. 가령 설파제는 박테리아가 인간과 달리 엽산을 스스로 만들어야 한다는 점을 이용한다. 박테리아는 수용체와 라아미노벤조산(PABA)을 결합해 엽산을 만든다. 박테리아에 감염된 환자가 설파제를 복용하면 체내에서 화학적 변화를 거쳐 PABA와 분자 구조가 흡사한 물질이 되어 PABA가 결합할 수용체와 먼저 결합한다. 이로 인해 박테리아는 엽산을 만들지 못해 죽게 된다. 반면 항바이러스제는, 다른 세포에 기생하여 증식하는 바이러스의 특성을 활용한다. 바이러스에 감염된 세포의 증식을 막는 방식으로 이것의 확산을 억제하는 것이다.
>
> 한편 신경작용제는 신경전달물질의 작용에 관여함으로써 생물학적 효과를 낸다. 신경전달물질인 세로토닌 등은 후(後)연접 뉴런 수용체에서 기능을 다하고 전(前)연접 뉴런에 재흡수된다. 이때 뉴런 간 연접 틈새에서 이것의 농도가 낮아져 우울증이 나타난다. 항우울제는 신경전달물질의 부족을 해소하는 방식으로 약효를 낸다. 신경전달물질의 전연접 뉴런의 수용체와 결합하여 재흡수가 일어나지 않게 하거나, 후연접 뉴런의 수용체와 결합하여 연접 틈새에서 신경전달물질의 농도가 높아진 것과 같은 효과를 내는 것이다.

① 설파제와 항바이러스제는 모두 병원체와 생체의 차이를 활용해 생물학적 효과를 낸다.
② 설파제는 체내의 화학적 변화를 거쳐 약효가 나타난다.

③ 항바이러스제는 병원체에 작용함으로써 바이러스 확산을 억제한다.

④ 신경작용제는 수용체와 결합하여 우울증이 발현되는 원인을 완화하는 효과를 낸다.

17 아래의 초고에 반영되지 않은 글쓰기 계획은 무엇인가?

> 최근 인건비 절감과 시간 단축을 위해 무인 결제 시스템을 도입하는 사례가 늘고 있다. 그러나 디지털 기기 사용이 서툰 노인층은 무인 결제기 사용에 어려움을 겪고 있다. 지난달 우리 지역 노인층을 대상으로 인터뷰를 진행하였는데, 무인 결제기 화면의 글씨가 너무 작고 사용법을 알기 어렵다고 답변하는 경우가 많았다. 시간이 지체되어 뒷사람들에게 피해를 줄 수 있다는 심리적 부담감이 무인 결제기 사용을 더 어렵게 한다고도 했다. 이를 참고할 때 무인 결제기가 노인층을 소비 주체에서 소외시키고 있음을 알 수 있다.
> 이러한 문제를 해결하기 위해서는 화면의 글씨를 키우고, 이해하기 쉬운 사용 설명을 제공하여 노인층도 무인 결제기를 쉽게 사용할 수 있도록 해야 한다. 그리고 많은 사람이 이용하는 대형 매장에서는 도우미를 배치하여 어르신들이 뒷사람들의 눈치를 보지 않고 편안하게 기계를 사용할 수 있도록 해 주는 것도 필요하다. 이로 인해 무인 결제기의 운영 경비가 다소 증가할 수는 있겠지만, 이러한 방법들은 디지털 기기 사용에 익숙하지 않은 노인들도 무인 결제기를 원활하게 이용할 수 있는 효과적인 해결책이 될 수 있다.
> 무인 결제기로 인해 불편을 겪고 있는 노인층의 요구를 반영하여 기계 장치를 개선하고 운영 방식도 보완하여 누구나 쉽고 편안하게 무인 결제기를 이용할 수 있기를 바란다.

① 주제가 '무인 결제기 사용에 불편을 겪는 노인층에 대한 대책 마련'이므로 다양한 해결 방안을 제시한다.

② 작문 목적이 문제점에 대한 해결을 촉구하는 것이므로 '문제－해결방안－제언'으로 글의 짜임을 구성한다.

③ 예상 독자인 정책 관계자의 관심을 끌기 위해 문제를 겪는 지역 주민들의 구체적인 경험을 제시한다.

④ 주장을 뒷받침하는 자료로 무인 결제기의 운영자의 입장을 고려하여 현실성 높은 해결 방안을 마련한다.

18 영웅 소설과 다음 작품의 주인공을 비교한 내용으로 적절하지 않은 것은?

> 우치 집에 돌아와 천서를 보아 못 할 술법이 없으매, 과거에 뜻이 없어 스스로 생각하되, '내 벼슬하여 모친을 봉양하려 하면 자연히 더디리라.' 하고 이에 한 계교를 생각하여 몸을 흔들어 변하여 선관이 되어 오색구름을 타고 하늘에 올라 바로 궐내로 들어가 대명전에 자리하니 서기가 공중에 어리었으니 궁중이 황홀했다. 이에 조정의 신하들이 당황하여 갈팡질팡하고 임금께 아뢰기를,
> "고금에 드문 괴변이라."/ 하니, 왕이 대경하사 신하를 모아 의논하시더니, 우치가 운무 중에 서고 청의동자 외쳐 왈,
> "고려국 왕은 옥황상제 전교를 들으라."
> 하거늘, 왕이 명하사 바닥에 깔 자리와 향로를 올려놓은 상을 갖춰 놓게 하고 나아가 보니 한 선관이 금관 홍포로 동자를 좌우에 세우고 오색구름 중에 싸여 단정히 섰거늘, 왕이 네 번 절한 후 땅에 엎드리시니, 우치 왈,
> "하늘의 궁궐이 오래되어 낡고 헐었기에 이제 수리하고자 하여 인간 여러 나라에 뜻을 전하여 모든 물건을 다 바쳤으나 다만 황금 들보 하나가 없는지라. 옥황상제께서 그대 나라에 황금이 유족함을 아시고 이제 뜻을 전하사 칠 월 칠 일 오시에 상량하리니, 그날 미쳐 대령하되 길이 십 척 오 촌이요, 너비 삼 척 이 촌, 만일 그날 미치지 못하면 큰 변을 내리우시리라."/ 하고 말을 마치자 선악 소리 은은하며 오색구름이 남녘으로 향하여 가더라.

① 영웅 소설의 주인공이 유교적 충효 사상을 중시하는 것처럼 전우치는 충효 사상을 바탕으로 의사 결정을 내린다.

② 영웅 소설의 주인공이 벼슬을 통해 입신양명을 이루려는 것과 달리, 전우치는 이를 너무 더딘 방법이라 여긴다.

③ 영웅 소설의 주인공이 병서를 익혀 탁월한 능력을 갖게 되듯이 전우치는 천서를 익혀 뛰어난 능력을 얻게 된다.

④ 영웅 소설의 주인공이 위기에 빠진 국가를 구하는 것과 달리, 전우치는 왕을 속여 국가 재산을 취하려고 한다.

19 빈칸에 들어갈 내용을 추론한 것으로 적절한 것은?

디지털 카메라로 영상을 얻을 때 흔들림의 영향을 최소화하는 것을 영상 안정화 기술이라고 한다. 디지털 영상 안정화(DIS) 기술은 촬영 후 소프트웨어를 통해 흔들림을 보정하는 기술이다. 이 기술은 연속되는 프레임들의 특징점을 활용한다. 특징점은 피사체의 모서리처럼 주위와 밝기가 뚜렷이 구별되며 영상이 이동, 회전해도 밝기 차이가 유지되는 부분이 선택된다. 이러한 특징점의 위치 차이를 계산하여 프레임 간 피사체의 움직임을 추정하고, 흔들림이 발생한 곳으로 추정되는 프레임에서 그만큼 보정하여 흔들림의 영향을 줄이는 것이다.

DIS는 역동적인 상황에서 촬영한 영상에 적용하여 좋은 결과를 얻을 수 있지만, 특징점의 수가 늘어날수록 연산이 더 오래 걸리고 보정 과정에서 영상을 회전한 경우 프레임에서 비어 있는 공간이 나타나 프레임의 크기를 조정하는 과정에서 화질이 떨어질 수 있다.

특징점으로 선택되는 점들과 주위 점들의 밝기 차이가 (㉠), 영상이 흔들리기 전의 밝기 차이와 후의 밝기 차이 변화가 (㉡) 특징점의 위치 추정이 유리하다. 그리고 특징점들이 많을수록 보정에 필요한 (㉢)이/가 늘어난다.

	㉠	㉡	㉢
①	클수록	작을수록	시간
②	클수록	클수록	프레임의 수
③	작을수록	작을수록	시간
④	작을수록	클수록	프레임의 수

20 다음 작품의 서술상의 특징으로 적절하지 않는 것은?

그 녀석은 박 씨 앞에 삿대질을 하듯이 또 거쉰 소리를 질렀다. 검초록색 잠바에 통이 좁은 깜장색 바지 차림의 서른 남짓 되어 보이는 사내였다. 짧게 깎은 앞머리가 가지런히 일어서 있고 손에는 올이 굵은 깜장 모자를 들었다. 칼칼하게 야윈 몸매지만 서슬이 선 눈매를 지녔고, 하관이 빠르고 얼굴색도 까무잡잡하다. 앞니에 금니 두 개를 해 박았다. 구두가 인상적으로 써늘하게 생겼다. 구둣방에 진열되어 있는 구두는 구두에 불과하지만 일단 사람의 발에 신기면 구두도 그 주인의 위인과 더불어 주인을 닮아 가게 마련이다. 끝이 뾰족하고 반들반들 윤기를 내고 있다.

헤프고, 사근사근하고, 무르고, 게다가 병역 기피자인 박 씨는 대번에 꺼칠한 얼굴이 되었다. 처음부터 나오는 것이 예사 손님 같지는 않다.

"글쎄, 앉으십쇼. 빨리 해 드릴 테니."

"얼마나 빨리 되어? 몇 분에 될 수 있소?"

"허어, 이 양반이 참 급하기도."

"뭐? 이 양반? 얻다 대구 반말이야? 말조심해."

앉았던 손님 두엇이 거울 속에서 힐끗 쳐다봤다. 그리고 거울 속에서 눈길이 부딪칠 듯하자 급하게 외면을 했다. 세발대의 두 소년도 우르르 머리들을 이편으로 내밀고 구경을 하고 손이 빈 민 씨와 김 씨도 구석 쪽 빈 이발 의자에 앉아 묵은 신문을 보다가 말고 몸체만을 엉거주춤히 돌렸다.

[중략]

기운 오후의 느슨느슨한 분위기에 잠겨 있던 이발소 안이 갑자기 써늘해졌다. 펑퍼짐하게 모로 누워 있던 이발소 기구들도 삐죽삐죽 일어서 진 듯하고 금빛, 은빛 금속 기구들이 사방에서 번쩍번쩍하였다.

① 인물의 외양을 색채 이미지를 통해 묘사하고 있다.
② 인물의 과거 회상을 통해 갈등의 원인을 드러내고 있다.
③ 다양한 부사어를 사용하여 현장감 있게 서술하고 있다.
④ 대화와 행동을 통해 긴장된 분위기를 조성하고 있다.

제4회 국어 모의고사

01 다음 중 국어의 특질에 대한 설명으로 가장 적절한 것은?

① 문장 성분의 기본 어순이 고정되어 있다.
② 단어의 첫머리에 하나 혹은 둘 이상의 자음이 온다.
③ 국어는 문법적 기능을 하는 조사와 어미가 발달되어 굴절어적 특징을 지닌다.
④ 국어의 파열음과 파찰음은 '예사소리-된소리-거센소리'의 3항 대립을 보인다.

02 밑줄 친 부분에서 ㉠~㉢이 적절하게 사용된 것은?

> ㉠ 채 : 「의존명사」 '-은/는 채로' 구성으로 쓰여, 이미 있는 상태 그대로 있다는 뜻을 나타내는 말
> ㉡ 체 : 「의존명사」 '-은/는' 뒤에 쓰여, 그럴듯하게 꾸미는 거짓 태도나 모양
> ㉢ -째 : 「접사」 일부 명사 뒤에 붙어, '그대로', 또는 '전부'의 뜻을 더하는 접미사

① ㉠: 고기를 그릇 <u>채</u> 오븐에서 구워 내었다.
② ㉡: 쓰레기를 못 본 <u>체</u>하며 고개를 돌렸다.
③ ㉢: 철도가 폭설로 며칠<u>째</u> 운행하지 않고 있다.
④ ㉡: 뒷짐을 진 <u>체</u> 마당을 잠시 걸어 다녔다.

03 밑줄 친 부분의 절대시제와 상대시제가 일치하는 경우는?

> 절대시제란 발화시를 기준으로 결정되는 시제이고, 상대시제란 발화시가 아닌 주문장의 사건시를 기준으로 결정되는 시제를 말한다.

① 동생은 내가 <u>읽는</u> 책을 가져갔다.
② 조용히 <u>공부하는</u> 사람은 선물을 주겠다.
③ 어린 시절의 <u>명랑한</u> 목소리가 많이 달라졌다.
④ 명절이라서 문을 <u>닫은</u> 가게가 많이 보였다.

04 다음 중 표준 발음법에 맞지 않는 것은 모두 몇 개인가?

한강[항 : 강]	금융[그뮹]
급행열차[그팽열차]	보름달[보름딸]
교과서[교 : 꽈서]	용산역[용산녁]
늑막염[능망염]	스물여섯[스물려섣]

① 2개　　② 3개
③ 4개　　④ 5개

05 다음의 밑줄 친 부분과 가장 관련 있는 한자성어는?

> 그 사나이는 주머니에서 금시계를 꺼내 보고, 다음에 구보의 얼굴을 쳐다보며, 저기 가서 차라도 안 먹으려나. 전당포 집의 둘째 아들. 구보는 그러한 사나이와 자리를 같이 하여 차를 마실 생각은 없었다. 그러나 그러한 경우에 한 개의 구실을 지어, 그 호의를 사절할 수 있도록 구보는 용감하지 못하다. 그 사나이는 앞장을 섰다. 자……그럼 저리로 가지. 그러나 그것은 구보에게만 한 말이 아니었다. 구보는 자기 뒤를 따라오는 한 여성을 보았다. 그가 한 번 흘낏 보기에도, 한 사나이의 애인 된 티가 있었다. 어느 틈엔가 이런 자도 연애를 하는 시대가 왔나. 새삼스러이 그 천한 얼굴이 쳐다보였으나 그러나 <u>서정 시인조차 황금광으로 나서는</u> 때다.

① 拜金主義　　② 太平聖代
③ 阿鼻叫喚　　④ 金蘭之契

06 다음 중 ㉠~㉢이 적절하게 반영되지 않은 것은?

글을 쓸 때는 설득 전략과 표현 방식을 활용하여 설득 효과를 높일 수 있다. 논리적 추론을 강조하는 ㉠ 이성적 설득 전략에는 전문가 소견이나 객관적 자료 활용하기, 예상 반론을 언급하고 필자의 주장이 우위에 있음을 드러내기 등이 있다. 독자의 감정에 호소하는 ㉡ 감성적 설득 전략에는 독자의 공감을 얻기 위해 독자나 필자의 경험을 언급하기 등이 있다. 또한 ㉢ 표현 방식으로는 이중 부정이나 설의법 등이 활용된다.

① ㉠: ○○○ 교수 연구팀은 세계 각국의 통계자료를 정리해 플라스틱의 생산과 이용량을 조사했다. 그 결과, 65년간 총 83억 톤의 플라스틱이 생산됐고, 그중 63억 톤이 쓰레기가 되었다고 추정했다. 그 중 9.5%에 해당하는 6억 톤만이 재활용되었고, 나머지 90.5%의 쓰레기는 소각되거나 지구 어딘가에 그대로 방치되어 있는 것이다.

② ㉠: 우리가 아무리 분리수거를 열심히 해도 인구가 많은 국가의 노력이 더욱 중요하다는 회의적인 시각도 존재한다. 그러나 플라스틱 빨대나 비닐 봉투 사용을 자제하는 등 플라스틱 쓰레기를 줄이려는 작은 노력이 이를 방관하는 것보다는 환경에 도움이 된다는 점은 확실하다.

③ ㉡: 코에 플라스틱 빨대가 박혀 고통스러워하는 거북이와 폐사된 고래의 뱃속에 비닐이나 플라스틱 쓰레기가 가득찬 모습의 사진을 본 적이 있다면 플라스틱의 사용과 폐기에 더욱 신중할 수밖에 없을 것이다.

④ ㉢: 인체에도 심각한 영향을 미칠 수 있는 플라스틱 문제, 조속히 해결해야 한다. 그렇다면 플라스틱 폐기물 문제를 어떻게 해결해야 할까? 단지 폐기만의 문제가 아니라 생산 및 사용의 전 단계에서 심도 깊은 논의가 필요하다.

07 ㉠~㉣에 대한 설명으로 적절하지 않은 것은?

학생 1: 선생님께서 우리 의학 동아리에서 교지에 실을 만한 글을 써 주면 좋겠다고 하셨는데 ㉠ 척추 건강에 대한 정보를 알려 주는 것이 어떨까? 근래에 교지에서 다룬 적이 없고, 수업 시간에 배우지도 않으니까 척추 건강에 대해 잘 모르는 학생들이 많을 거야.

학생 2: 그건 너무 어려운 주제 아닐까? 전문적인 용어나 개념이 많으면 학생들이 이해하기가 힘들 거야.

학생 1: ㉡ 척추 건강에 대해 알려 주는 기사와 TV 프로그램을 본 적이 있는데, 특별히 어렵지는 않았어.

학생 2: 그렇다면 괜찮을 것 같아. 그럼 이제 어떤 내용으로 구성할지 이야기해 볼까?

학생 1: 글의 시작 부분에서 척추 질환의 원인을 알고 예방하기 위한 노력이 필요하다고 말하자.

학생 2: ㉢ 그래. 그 다음에는 학생들의 생활 습관에 초점을 맞추어서 척추 질환의 원인을 설명하면 어떨까?

학생 1: ㉣ 좋아. 척추 건강은 생활 습관과 관련이 깊기 때문에 그렇게 쓰면 학생들이 생활 습관을 점검하는 데 도움이 될 거야.

① ㉠: 자신의 의견을 근거와 함께 제시하고 있다.
② ㉡: 과거 경험을 바탕으로 우려를 표현하고 있다.
③ ㉢: 상대방 의견에 동의하면서 추가 제안을 하고 있다.
④ ㉣: 상대방의 제안이 지닌 효용성에 대해 언급하고 있다.

08 다음을 바탕으로 ㉠~㉥에 대한 설명이 잘못된 것은?

> 윤선도의 <견회요> 등과 같은 유배 문학은 유배지에서 겪는 고뇌와 고통을 토로하면서 충신연주(忠臣戀主)나 우국의 심정을 나타내는 형태로 정형화되었다.

> 슬프나 즐거오나 옳다 하나 외다 하나
> ㉠ 내 몸의 해올 일만 닦고 닦을 뿐이언정
> ㉡ 그 밧긔 여남은 일이야 분별할 줄 이시랴
> <제1수>
>
> ㉢ 내 일 망령된 줄을 내라 하여 모를쏜가
> 이 마음 어리기도 ㉣ 임 위한 탓이로세
> 아무가 아무리 일러도 임이 혜여 보소서
> <제2수>
>
> 추성 진호루 밧긔 울어 예는 저 ㉤ 시내야
> 므음 호리라 주야에 흐르는다
> ㉥ 임 향한 내 뜻을 조차 그칠 뉘를 모르나다
> <제3수>
>
> - 윤선도, 〈견회요〉 중 -

① 화자는 ㉡보다 ㉠을 중시하는 가치관을 가지고 있다.
② 화자가 ㉢을 한 이유는 ㉣을 위한 마음에서 비롯된다.
③ ㉤은 유배지에서 고통 받는 화자를 위로해 주고 있다.
④ ㉠, ㉢, ㉥은 모두 나라를 걱정하는 마음과 관련이 있다.

09 다음 중 초고를 고쳐 쓸 때 반영한 전략이 아닌 것은?

> [초고] 게임 중독세는 게임 산업을 위축시켜 성장을 저해할 수 있다. 우리나라의 게임 산업은 빠르게 발전해 국가 경제에 기여해 왔다. 과거에는 사람들이 게임을 하는 데서 즐거움을 찾았으나 이제는 게임을 하는 것을 보고 공유하는 즐거움을 찾고 있다. 세금을 과도하게 부과하여 게임 산업이 위축된다면 엄청난 국가적 손실이 발생할 것이다.
>
> [고쳐 쓴 글] 게임 중독세는 게임 산업을 위축시켜 성장을 저해할 수 있다. 우리나라의 게임 산업은 빠르게 발전해 국가 경제에 기여해 왔다. 통계청의 자료에 의하면 2010년 7.4조 원이었던 국내 게임 산업 규모가 2019년에는 12.5조 원에 달한다. 이렇게 성장하는 게임 산업에 세금을 과도하게 부과하여 게임 산업이 위축된다면 엄청난 국가적 손실이 발생할 것이다. 게임 중독세의 도입으로 게임 산업이 퇴보하는 일이 없기를 바란다.

① 문장 간 연결이 긴밀해지도록 접속어를 추가한다.
② 내용을 뒷받침하는 구체적인 통계 자료를 제시한다.
③ 글의 흐름에서 벗어나는 문장을 삭제한다.
④ 주장을 명료하게 드러낼 수 있는 문장으로 마무리한다.

10 다음과 같은 의미 관계로 짝지어진 것은?

> ㉠ 나이를 먹다. ㉡ 겟돈을 먹다.

① 그 글에는 이런 내용이 들어 있다.
   그는 차표를 손에 들고 있었다.
② 세탁한 옷을 옷걸이에 걸었다.
   정문에 새 자물쇠를 걸어 두었다.
③ 침대를 옮기면서 오랜만에 힘을 썼다.
   새로 산 모자를 쓰고 여행을 갔다.
④ 공부가 안돼서 잠깐 쉬고 있다.
   몸살을 앓더니 얼굴이 많이 안됐구나.

11 제시된 문장이 들어갈 곳으로 가장 적절한 것은?

> 하지만 통각 수용기에서는 지속적인 자극에 대해 감각 적응 현상이 잘 일어나지 않는다.

> 통증은 감각의 일종으로 조직 손상이 발생하거나, 발생하려고 할 때 자각을 주는 방어적 작용이다. 강한 물리적 충격으로 인한 자극, 높은 온도에 의한 자극, 상처 혹은 감염으로 인해 세포에서 방출하는 화학 물질에 의한 화학적 자극 등에 의해 통증이 유발된다. ① 이러한 자극은 온몸에 퍼져 있는 감각 신경의 말단에서 받아들이는데, 이것을 통각 수용기라 한다. ② 통각 수용기는 피부에 가장 많이 분포되어 있어 피부에서 발생한 통증은 위치를 알기 쉽지만, 통각 수용기가 상대적으로 적은 내장 부위의 통증은 위치를 정확히 확인하기 어렵다. ③ 후각 혹은 촉각 수용기 등에서는 지속적인 자극에 대해 수용기의 반응이 감소되는 감각 적응 현상이 일어난다. ④ 그래서 우리 몸은 위험한 상황에 대응할 수 있게 된다.

12 ㉠~㉢에 대한 설명으로 적절하지 않은 것은?

> ㉠ 독서를 꾸준히 하지 않으면 장문을 읽기가 어렵다.
> ㉡ 그는 동생과는 다르게 요리를 좋아한다.
> ㉢ 달리기를 잘하는 현수는 다리가 기린만큼 길다.

① ㉠과 ㉡의 안긴문장에는 모두 두 자리 서술어가 쓰였다.
② ㉠에는 명사의 역할을 하는 안긴문장, ㉢에는 서술어의 역할을 하는 안긴문장이 쓰였다.
③ ㉠과 ㉢의 명사절은 각각 주어와 목적어의 역할을 한다.
④ ㉡에는 부사어의 역할을 하는 안긴문장, ㉢에는 관형어의 역할을 하는 안긴문장이 쓰였다.

13 발표에 대한 듣기 활동을 이해한 것으로 적절하지 않은 것은?

> 조선 왕조의 종묘 제례에서 공연된 종묘 제례악에 대해 발표하고자 합니다. 종묘 제례악은 제례 절차에 따라 연주와 춤이 어우러지는 종합 예술로, 음양의 조화를 이루도록 구성되었습니다. 이와 관련해 먼저 악기와 연주에 대해 설명한 후에 춤에 반영된 음양 조화에 대해 설명하겠습니다.
> 종묘 제례악은 축을 세 번 치며 연주를 시작합니다. (자료를 보여 주며) 화면의 네모난 절구통처럼 생긴 악기가 바로 축입니다. 축은 방망이를 아래로 세 번 두드려 연주하는 것으로 양을 상징합니다. 아래쪽에 호랑이 모양의 악기는 무엇일까요? 이것은 어인데, 연주가 끝날 때 사용했습니다. 연주자는 채로 호랑이의 머리를 세 번 치고, 등을 세 번 긁었습니다. 이 악기는 음을 상징하여 축과 조화를 이룹니다.
> 이쪽에 여러 줄로 서 있는 이들은 춤을 추는 무인들입니다. 종묘 제례악의 춤은 조상의 무공을 찬양하는 무무와 문덕을 찬양하는 문무로 나뉩니다. 무무는 음을 상징하므로 양을 상징하는 몸을 펴는 동작부터, 문무는 양을 상징하므로 음을 상징하는 몸을 숙이는 동작부터 시작합니다. 이렇듯 춤에서도 음양의 조화가 이루어집니다.

> – 청자 1: 악기와 무인이 음과 양을 상징하는 이유를 설명해주지 않아서 아쉬웠어. 내가 자료를 찾아봐야지.
> – 청자 2: 제례악에는 종묘 제례악 외에 문묘 제례악도 있다고 알고 있는데 어떻게 다른지 알아봐야겠어.

① 청자 1과 청자 2는 모두 발표 내용을 요약하고 있다.
② 청자 2는 발표와 관련 있는 배경지식을 활성화하고 있다.
③ 청자 1은 누락된 내용을 발표의 문제점으로 지적하였다.
④ 청자 1과 청자 2는 모두 발표를 듣고 생긴 궁금한 점에 대해 조사하고자 한다.

14 다음 작품의 서술상의 특징으로 적절하지 않은 것은?

[앞부분의 줄거리] 칠복과 방울재 사람들은 댐 건설로 인해 사라진 고향을 떠나게 된다. 도시로 온 칠복은 도망간 아내를 찾기 위해 칠보증권 옥상에 올라가 징을 치는데, 징 소리에 향수를 느낀 사장의 눈에 띄어 그곳의 경비원으로 취직을 하게 된다. 그는 매일 옥상에서 점심시간을 알리는 징을 치는데, 어느 날 방울재의 마지막 장승제를 떠올린다.

방울재 사람들은 정든 고향을 떠나는 아픔을 농악 소리로 달래기라도 하는 듯 밤새워 자진모리를 울려 댔다. 부끄러움이 많아 마을 앞 각시샘을 아랫당산 쪽으로 휘어 돌아가곤 하던 새색시들까지도 법고놀이를 하였고, 아이들마다 제 아버지나 어머니의 어깨 위에 올라가서 덩실덩실 꽃나비가 되어 춤을 추었다.

11층 옥상으로 올라가 칠복은 휘휘휘 이상한 소리를 내며 바람을 밀어 내리는 하늘과, 쭝긋쭝긋 건물들이 솟은 도시를 한눈에 담으면서 왼손에 든 징을 머리 위로 힘껏 추켜올렸다. / 징 징 징…….

칠복은 징채를 휘둘렀다. 징 소리는 바람처럼 울려 퍼졌다. 징채를 휘두르는 칠복의 온몸은 피돌기가 빨라지는 듯싶었다. 그는 옥상 위에서 겅중거렸다. 머리끝에서 발부리에까지 한 줄기의 소리가 그의 핏줄을 타고 온몸에 퍼지면서, 고향을 잃은 분한 마음, 아내를 잃은 슬픔이 징 소리와 함께 하늘과 땅으로 울부짖음이 되어 흩어졌다.

그는 방울재에 댐을 막으려 불도저를 들이댔던 빨간 모자를 삐딱하게 눌러쓴 측량 기사며, 물에 잠긴 마을에 낚싯줄을 드리운 낚시꾼들, 아내를 낚아채 간 식당 주방장의 머리통을 깨부수듯 신들린 사람처럼 징채를 휘둘렀다. 그가 징채를 휘두르는 순간에는 뿔뿔이 흩어져 버린 고향 사람들의 얼굴이 하나씩 되살아나 그와 함께 겅중거리는 모습이 보였다. / 상쇠잡이 장말째는 까강깡깡 꽹과리를 치며 고개를 까닥거렸고, 장고잡이 김칠덕이는 덩더꿍덩더꿍 어깨를 내두르며 노루처럼 뛰었다. 대포수 최팔만이의 갈쭉한 얼굴도 보였고, 소고잡이의 여러 친구들도 신이 나서 겅중거렸다.

– 문순태, 〈징소리〉 –

① 회상을 통해 서사의 진행을 지연시키고 있다.
② 서술자가 자신의 심리를 섬세하게 서술하고 있다.
③ 다양한 음성 상징어를 통해 생동감을 느끼게 한다.
④ 인물이 떠올리는 환영을 생생하게 묘사하고 있다.

15 다음 작품의 표현상의 특징으로 적절하지 않은 것은?

그늘, / 밝음을 너는 이렇게도 말하는구나,
나도 기쁠 때는 눈물에 젖는다.

그늘, / 밝음에 너는 옷을 입혔구나,
우리도 일일이 형상을 들어
때로는 진리를 이야기한다.

이 밝음, 이 빛은,
채울 대로 가득히 채우고도 오히려 남음이 있구나,
그늘 — 너에게서……

내 아버지의 집 / 풍성한 대지의 원탁마다,
그늘, / 오월의 새 술들 가득 부어라!

이깔나무 — 네 이름 아래
나의 고단한 꿈을 한때나마 쉬어 가리니…….

– 김현승, 〈오월의 환희〉 –

① 역설적 인식을 통하여 시적 의미를 강조한다.
② 대상을 의인화하여 말을 건네는 방식을 사용한다.
③ 시어의 반복을 통해 의미를 강조하고 운율을 형성한다.
④ 말줄임표를 통해 시적 화자의 내적 고뇌를 나타낸다.

16 다음 글에 대한 설명으로 적절한 것은?

법률에는 법률생활의 혼란을 방지하고 법적 안정성을 위해 효력이 발생한 이후의 사건에 대해서만 적용해야 한다는 '법률 불소급의 원칙'이 적용된다. 그러나 법률에 대한 국민의 신뢰 보호와 법적 안정성을 해할 우려가 적고 중대한 공익적 필요성이 있는 경우에는 예외적으로 소급 입법과 적용이 허용된다. 소급 입법에는 사실 관계가 규명되기 위해 시간의 경과가 필요하거나 법률관계가 종료되기 전인 경우에 이루어지는 '부진정 소급 입법'과 이미 종료된 사실 관계나 법률 관계와 관련된 '진정 소급 입법'이 있다.

부진정 소급 입법은 법질서에 대한 신뢰 보호, 법적 안정성을 크게 해친다고 볼 수 없어 허용된다. 가령, 양도 소득세는 부동산의 취득 가격과 매도 가격의 차액을 기준으로 부과하는데, 매도 행위가 종료되기 전에 법령 개정으로 소득세율을 인상한다면 이는 부진정 소급 입법에 해당한다.

다음으로 진정 소급 입법은 소급 입법을 예상할 수 있었거나 기존 법적 상태에 대한 신뢰를 통해 얻을 수 있는 이익이 적은 경우, 중대한 공익상의 사유가 있는 경우에는 예외적으로 가능하다. '친일 반민족 행위자 재산의 국가 귀속에 관한 특별법'이 헌법에서 금지하는 소급 입법에 의한 재산권 박탈에 해당하여 무효로 보아야 하는지 논란이 있었다. 대법원은 '친일 재산의 소급적 박탈은 소급 입법을 예상할 수 있었던 예외적인 사안이고, 진정 소급 입법을 통해 침해되는 법적 신뢰는 심각하다고 볼 수 없는 데 반해 이를 통해 달성되는 공익적 중대성은 압도적이라고 할 수 있으므로 진정 소급 입법이 허용되는 경우에 해당한다.'고 하였다.

① 부진정 소급 입법은 법률관계가 종료되었더라도 법적 안정성을 해치지 않는다고 보아 새로운 법의 효력이 적용되는 것이다.
② 부진정 소급 입법은 법적 안정성을 크게 해칠 수 있기 때문에 적용되지 못하는 경우가 많다.
③ 진정 소급 입법은 소급 입법을 예상할 수 있는 있었던 경우에 적용되어 공익적 중대성을 적용의 중요한 기준으로 본다.
④ 법의 효력이 만들어진 이후의 사건에만 적용해야 한다는 원칙은 법적인 안정성을 위해 예외를 허용하지 않는다.

17 다음 글에서 찾을 수 있는 내용이 아닌 것은?

컴퓨터는 0 또는 1로 표시되는 비트*를 최소 단위로 사용해 데이터를 표시한다. 컴퓨터가 한 번에 처리하는 비트 수를 워드라고 하는데, 64비트의 컴퓨터는 64개의 비트를 1워드로 처리한다. 4비트 컴퓨터에서 양의 정수를 표현하는 경우 가장 왼쪽의 최상위 비트는 0으로 표시해 양수를 나타내고, 나머지 3개의 데이터 비트는 정수의 절댓값을 이진수*로 나타낸다. 예를 들면 +1은 0001, +2는 0010, +3은 0011이다. 음수를 표현한다면 최상위 비트를 1로 표시하고 나머지 3개의 비트로 정수의 절댓값을 나타내면 된다. -3은 절댓값 3을 이진수로 나타낸 011에 최상위 비트 1을 앞에 덧붙인 1011이 된다. 이러한 음수 표현 방식을 '부호화 절댓값'이라고 한다. 그러나 부호화 절댓값에서는 1워드를 초과하는 오버플로를 처리하는 별도의 규칙이 없으므로 계산한 값이 부정확하다. 만일 4비트 컴퓨터에서 7-3을 계산한다면 7+(-3)인 0111+1011로 표현되고, 이 값은 10010이다. 10010은 4비트 컴퓨터가 처리하는 1워드를 초과하는 오버플로 현상이 일어난 것이다. 한편, 0이 0000 또는 1000이라는 두 가지 방식으로 표현되므로 표현의 일관성과 저장 공간의 효율성이 떨어진다.

* 비트(bit) : 컴퓨터가 0과 1을 이용하는 이진법으로 연산을 수행하기 위해 사용하는 최소의 정보 저장 단위
* 이진수 : 이진법으로 나타낸 수. 십진수 0, 1, 2, 3, 4, 5, 6, 7은 이진수 000, 001, 010, 011, 100, 101, 110, 111로 나타냄.

① 음수를 나타낼 때 최상위 비트를 1로 표시하는 이유
② 표현의 일관성과 저장 공간의 효율성이 떨어지는 이유
③ 컴퓨터에서 데이터를 표시하는 최소 단위
④ 부호화 절댓값의 연산이 부정확한 이유

18 ㉠~㉣의 한자 표기 및 유의어가 모두 적절한 것은?

'신명론(神命論)'은 도덕의 기반을 신에 두는 윤리 이론으로 도덕적 행위의 정당성이 신의 명령에 ㉠ 기인한다는 것이다. 예를 들어 남을 해쳐서는 안 되는 이유는 신이 그렇게 명령했기 때문이라고 주장한다. 신명론은 인류의 역사에서 뿌리깊은 생각으로, 도덕은 종교와 연관되었다는 가정을 품고 있다. 이 가정은 신은 모든 선한 행동을 명하고 모든 악한 행동을 금한다는 것, 인간은 신이 무엇을 명하고 무엇을 금하는지 알 수 있다는 것을 ㉡ 내포하고 있다.

그러나 플라톤은 그의 스승 소크라테스처럼 고대 그리스 신들을 받아들이고 존중했지만 신명론에 대해 비판을 하였다. 만약 신이 완벽히 선하다 할지라도 그것만으로는 도덕을 설명하기에 충분하지 않다고 생각한 것이다. 그는 '어떤 행위가 옳은 이유는 신이 명령했기 때문인가, 아니면 옳기 때문에 신이 명령한 것인가'라는 질문에 대해 어느 한쪽도 ㉢ 채택할 수 없어 신명론이 딜레마에 빠짐을 지적하였다. 플라톤에 따르면 신명론은 인간이 도덕적으로 살아야 하는 이유에 대한 적합한 대답이 되지 못한다. 신을 믿는 사람은 도덕을 신과 관련시키지 않았을 때 ㉣ 불경스럽다고 믿기에 신명론을 받아들이는데, 플라톤은 신명론의 딜레마를 통해 오히려 신명론 자체가 불경스러운 결과에 이른다고 보았다.

	한자 표기	유의어
① ㉠:	欺因하다	말미암다
② ㉡:	內包하다	담다
③ ㉢:	採擇하다	선별하다
④ ㉣:	不敬스럽다	신성하다

19 ㉠의 이유로 가장 적절한 것은?

세원이란 조세가 지급되거나 지급될 것이 예기되는 원천을 말한다. 일반적으로 납세자의 소득・재산 및 자본이 여기에 해당하는데, 소득이 대표적인 세원이다. 조세를 부과할 때 세원 전체에 세율을 적용하지는 않는다. 예를 들어, 우리나라는 ㉠ 부양가족이 있는 사람에게는 개인의 총소득 중 일부를 공제한 후에 세율을 적용한다. 과세 대상인 소득으로부터 얻는 만족감이 동일한 납세자에게, 동일한 조세 부담을 요구하는 것이 공평하다고 생각되기 때문이다. 개인의 총소득에서 공제 항목의 금액을 제한 뒤, 세율이 적용되는 소득을 과세 표준이라고 한다. 그리고 납세 부담액인 세액은 과세 표준에 세율을 곱하여 산출된다. 과세 표준에 세율을 어떻게 적용할 것인지에 따라 세율 구조가 결정된다. 과세 표준이 증가할 때 평균 세율이 유지되면 비례 세율 구조이고, 평균 세율이 오히려 감소하면 역진 세율 구조이며 반대로 함께 증가하면 누진 세율 구조이다.

① 부양가족이 있는 사람은 없는 사람에 비해 동일한 소득으로부터 얻는 만족감이 낮은 점을 고려하기 위해서
② 납세자 가족의 총소득을 합산함으로써 경제적 능력을 객관적으로 판단하여 조세 수입을 높이기 위해서
③ 부양가족이 많은 사람에게 투입되는 복지비용을 고려하여 더 큰 조세 부담을 요구하기 위해서
④ 소득이 동일한 납세자에게 동일한 조세를 부담하게 하는 것이 공평하다는 점을 고려하기 위해서

20 ㉠의 서사적 기능으로 적절한 것은?

> [앞부분의 줄거리] 과거에 급제하여 한림학사가 된 인향의 약혼자 유성윤은 죽은 인향이 꿈에 나타나 계모에 대한 억울함을 풀고 원혼을 달래 준 한림에게 감사 인사를 한다. 이에 한림은 옥황상제에게 축원하며 인향의 회생을 간절하게 빈다.
>
> "오늘 정성하심을 하늘이 감동하옵시고 첩을 측은히 여기사 다시 환생케 하오니, 한림은 명일 아침에 음식과 이 약물을 가지고 심천동으로 오소서. 이 약물은 옥황상제께서 주신 회생수오니 그리 아옵소서." / 하고 일어나 두 번 절하고 나가거늘, 놀라 깨니 꿈이라. 한림이 자세히 살펴보니 그 옆에 약병이 있거늘, 한림이 대희하여 날 새기를 기다려 부친 전에 이 사연을 고하고 즉시 제물을 차려 가지고 인형과 같이 심천동으로 찾아가니 ㉠ <u>낙락장송은 희색을 띠어 한림을 반기는 듯, 산간에 두견새는 한림을 부르는 듯, 비금주수(飛禽走獸)가 모두 다 임을 보고 환영하는 듯하더라.</u> 한림 일행이 심천동에 당도하여 묘전에 제물을 차려 놓고 분향재배한 후 제문을 읽으니, 그 제문에 하였으되,
>
> "유세차 모년 모월 모일에 감소고우* 한림은 옥황상제 전에 일배주로 축원하오니 불쌍하온 김 낭자를 다시 회생케 하옵시면 미진한 인연을 다시 이어 백년동락으로 지낼까 하오니, 복원 옥황상제님은 다시 회생케 하옵소서." / 하며 빌기를 무수히 한 후 제물을 파하고 다시 제물을 차려 묘전에 벌여 놓고 재배한 후 축문을 읽으니, 하였으되,
>
> "유세차 모년 모월 모일에 한림 유성윤은 일배주를 김 낭자 좌하에 올리나니 흠향*하옵소서. 도시 액운이 한림의 죄오니 모든 것을 용서하시고, 구구히 축원하는 한림을 보아 회생하여 인연을 다시 이어 살았으면 지금 죽어도 한이 없겠나이다." / 하고 즉시 인형과 같이 분묘를 헐고 신체를 보니 목과 얼굴이 조금도 썩지 아니하고 인향과 동생 인함이 자는 듯하거늘 한림이 즉시 회생수를 뿌리니, 얼마 후에 숨을 후유 쉬고 두 소저 서로 돌아눕는지라. 한림이 일변 하인들에게 명하여 보교를 가져오라 하여 두 소저를 태워 가지고 기뻐 어쩔 줄을 몰라 하여 집으로 돌아오니라.
>
> * 감소고우 : 감히 밝혀 아룀. 제문, 축문에서 신에게 고하려고 쓰는 말
> * 흠향 : 신명(神明)이 제물을 받음.

① 구체적인 배경 묘사를 통해 현장감을 느끼게 한다.
② 인물의 심리를 섬세하게 묘사해 사건에 몰입하게 한다.
③ 앞으로 일어날 사건을 암시하는 역할을 한다.
④ 비현실적인 분위기를 통해 꿈속 배경을 보여주고 있다.

제5회 국어 모의고사

01 다음 중 음운 변동 유형과 변화된 음운 개수가 동일한 경우는?

> 음운 변동의 유형은 음운 변동 전후의 음운 개수 변화를 파악하는 것이 일반적인 방법이다.
> – 교체: 한 음운이 다른 음운으로 바뀌는 경우, 개수 그대로
> – 탈락: 있던 음운이 없어지는 경우, 개수 줄어듦.
> – 첨가: 없던 음운이 덧붙는 경우, 개수 늘어남.
> – 축약: 두 음운이 합쳐져 제3의 음운으로 바뀌는 경우, 개수 줄어듦.

① 늑막염[능망념], 한여름[한녀름]
② 훑는[훌른], 닦는[당는]
③ 드넓다[드널따], 들볶다[들복따]
④ 닫히다[다치다], 깨끗하다[깨끄타다]

02 다음 문장의 밑줄 친 부분과 구성 요소가 다른 것은?

> 가구를 벽에 <u>붙여</u> 공간을 마련하였다.

① 수도권에 <u>많게는</u> 300mm 이상의 비가 내릴 것이다.
② <u>널따란</u> 책상 위에 검토할 서류가 놓여 있다.
③ 매일 공부한 시간을 <u>기록하는</u> 습관을 들이고 있다.
④ 맑은 밤하늘에는 수많은 별들이 <u>반짝이고</u> 있었다.

03 제시된 청유문의 쓰임 중 ㉠에 해당하는 경우는?

> 청유문에는 '-자', '-자꾸나', '-세', '-(으)ㅂ시다' 등과 같은 청유형 어미가 사용된다. 일반적으로 화자가 청자에게 서술어에 포함된 행동을 함께 하기를 요청할 때, 그 외에는 ㉠ <u>서술어에 포함된 행동을 청자만 하기를 요청</u>할 때, 화자가 서술어에 포함된 행동을 하기 위해 청자의 협조를 요청할 때 쓰이기도 한다.

① (같이 산책을 하던 친구에게) 벤치에 앉아서 좀 쉬자.
② (고장 난 물건을 고치는 동생에게) 어디 좀 보자꾸나.
③ (지하철 하차 시 승차하려는 사람에게) 내리고 탑시다.
④ (기차를 타러 가야 하는 제자에게) 이제 그만 일어나세.

04 (가)와 (나)에 공통적으로 나타나는 표현상의 특징은?

> (가) 천만리(千萬里) 머나먼 길ᄒᆡ 고은 님 여희옵고
> ᄂᆡ ᄆᆞᄋᆞᆷ 둘 ᄃᆡ 업셔 냇ᄀᆞ의 안자시니
> 져 물도 ᄂᆡ ᄋᆞᆫ ᄀᆞᆺᄒᆞ여 우러 밤길 가는구나.
> – 왕방연 –
>
> (나) ᄭᅮᆷ에 단니ᄂᆞᆫ 길히 자최곳 날쟉시면
> 님의 집 창(窓) 밧기 석로(石路)라도 달흐리라
> ᄭᅮᆷ길히 자최 업스니 그를 슬허ᄒᆞ노라.
> – 이명한 –

① 상황을 가정하여 부정적 현실을 극복하고 있다.
② 과장법을 통하여 화자의 정서를 강조하고 있다.
③ 화자가 처한 시적 상황을 구체적으로 묘사하고 있다.
④ 시적 대상과 화자를 동일시하여 상실감을 나타내고 있다.

05 다음 글을 쓰기 위한 자료 활용 계획으로 적절하지 않은 것은?

> 우리 마을은 쾌적한 마을 환경 조성 및 원활한 주민 소통을 위한 목적으로 지자체에서 추진하는 '마을 환경 개선 사업'의 대상으로 선정되었다. 공문에 따르면 총 다섯 마을이 선정되었고, 각 1억 원의 지원금을 받게 된다. 이 사업은 낙후된 마을 환경을 주민들이 주체적으로 개선해 나가는 사업이다. 사업 추진에 대한 찬반 투표 결과, 찬성 비율이 94%일 정도로 마을 구성원들의 관심이 높았던 만큼 선정 결과에 대해 마을 주민들과 상인들은 큰 기대감을 드러냈다. 개선 분야에 대한 설문 조사 결과에 따르면 주민들은 자연 친화적 쉼터 설치와 깨끗하고 안전한 골목 환경 조성, 상인들은 주차 공간 확보를 가장 많이 꼽았다. 마을의 최고령 주민은 '마을 환경 개선 사업으로 과거에 비해 소원해진 주민들 간의 교류가 활발해지고, 마을 공동체에 대한 자부심이 높아질 것'이라고 하였다.
>
> 본 사업의 방침으로 주민의 요구를 반영하고 친환경적인 공간, 지역 사회와 연계한 공간을 만들 것을 공문에서 강조한 만큼 이를 반영하여 내년까지 마을 공간을 개선할 예정이다. 사업 추진 위원장은 이달에 마을 구성원이 참여하는 토의, 디자인 아이디어 공모전, 전문가 초청 간담회 등을 매주 실시할 예정이니 많은 이들의 관심과 참여를 당부했다.

① 투표 및 설문 조사 결과: 마을 구성원들의 참여 독려
② 지자체의 공문: 사업 방침, 지원 규모를 구체적으로 설명
③ 마을의 최고령 주민 인터뷰: 사업의 기대 효과 강조
④ 사업 추진 위원장 인터뷰: 사업 추진을 위한 행사 안내

06 다음 발표에서 두 발표자가 공통적으로 사용한 말하기 방식은?

> 여러분들은 미생물에 대해 얼마나 알고 계신가요? 네, 여러분이 답해주신 것처럼 미생물은 육안으로 볼 수 없는 아주 작은 생물입니다. 미생물은 번식 속도가 매우 빠르고, 그 수와 종류가 매우 다양해서 지구상에서 10억 년 이상이나 살아남을 수 있었다고 합니다. 미생물은 자료 화면과 같이 모양에 따라 구균, 나선균, 간균, 나사균 등으로 분류되는데, 실제로는 훨씬 복잡하고 다양한 모양이라고 합니다. 이러한 특성을 지닌 미생물이 실생활에는 어떤 역할을 하는지 다음 발표자가 말씀드리겠습니다.
>
> 여러분들, 혹시 경주에 가서 다보탑, 석가탑과 같은 문화재를 본 적 있으신가요? 이 석탑들은 믹소코쿠스라는 미생물이 돌의 표면을 단단하게 하고, 외부 공기를 차단해 부식이 일어나지 않은 것이라 합니다. 한편, 쉽게 부패되는 고등어에 미생물의 작용이 더해지면 어떻게 될까요? 우리가 반찬으로 자주 접해 본 자반고등어를 만들 때는 소금을 적당량 뿌린다고 합니다. 이때 코라네박테리움이라는 미생물이 작용해 고등어가 부패되지 않고, 또 나트륨과 결합해 글루탐산 나트륨이 되어 감칠맛을 더해 준다고 합니다. 눈에 보이지 않는 미생물이 이런 작용을 한다니 정말 신기하지요? 여러분들도 주변에서 미생물의 신비한 작용을 찾아보시길 바라면서 발표를 마치겠습니다. 감사합니다.

① 보조 자료를 활용하여 발표 내용에 대한 이해를 돕는다.
② 일상에서 접할 수 있는 소재를 예로 들어 설명하고 있다.
③ 앞 내용을 확인하는 질문을 통해 요점을 정리하고 있다.
④ 지시어를 사용하여 내용을 보다 간결하게 전달하고 있다.

07 밑줄 친 대상을 의미하는 한자성어는?

> 어리고 셩긘 <u>梅花</u> 너를 밋지 아녓더니,
> 눈 期約 能히 직혀 두세 송이 픠엿고나.
> 燭 잡고 갓가이 사랑헐제 暗香좃차 浮動터라.

① 泉石膏肓　　② 氷姿玉質
③ 雪上加霜　　④ 歲寒孤節

08 대화의 다음 대화 참여자에 대한 설명으로 적절하지 않은 것은?

> 지수: 어제 들은 심리학 특강 말이야, ㉠ <u>우리 생각이나 마음을 잘 설명해 주는 것 같아 꽤 흥미롭지 않았어?</u>
> 서준: ㉡ <u>인간 심리가 변덕도 심하고 개인차도 있어서 어떤 이론으로 설명하는 것이 불가능하다고 생각했거든. 그런데 사람의 생각이나 마음이 한쪽으로 굳어지기도 하고 다른 쪽으로 변하기도 하는 원리가 간단하게 이해되고 재미있더라. 그래서 심리학에 관심이 생겼어.</u>
> 지수: 이 상황도 어제 강의의 내용으로 설명할 수 있을 것 같아. ㉢ <u>인지 부조화는 자신에게 벌어진 상황이 자신의 생각이나 신념에 부합하지 않아 심리적으로 불편해지는 것이라고 했잖아. 그러고 보면 인지 부조화의 상황은 일상에서 많이 경험할 수 있는 것 아닌가?</u>
> 서준: 듣고 보니 그러네. ㉣ <u>나는 아침형 인간으로 살고 싶은데, 주말에 늦잠 자서 자책하는 걸 보면 일상에서도 인지 부조화 상황이 많이 일어나는 것 같아.</u>

① ㉠: 자신의 견해를 드러내며 상대방에게 의견을 구하고 있다.
② ㉡: 자신의 생각에 변화가 생기게 된 계기를 언급하고 있다.
③ ㉢: 강의 내용의 사례에 대한 적절성에 의문을 표하고 있다.
④ ㉣: 과거의 경험을 근거로 삼아 상대의 말에 공감하고 있다.

09 (가)를 참고하여, (나)를 이해할 때 적절하지 않은 것은?

> (가) 김동리의 문학에서 자연과 신은 인간보다 높은 존재이고, 인간은 그보다 낮은 존재로 묘사되지만 때때로 신은 혼령, 잡신과 같은 인간과 수평적 선상에서 이해되기도 한다. 이러한 신은 자연과 서로 혼재되어 생활 주변의 다양한 존재나, 인간에 내재된 모습으로 그려지기도 한다. 무당은 신과 인간의 경계를 넘나들 수 있는 존재로서, 접신을 통해 인간적 한계를 넘어서 혼령이나 잡신에 가까운 존재로 변모하여 자연의 세계에 다가가게 된다.
>
> (나) 모화의 말을 들으면 낭이는 수국 꽃님의 화신(化身)으로, 그녀(모화)가 꿈에 용신(龍神)님을 만나 복숭아 하나를 얻어먹고 꿈꾼 지 이레 만에 낭이를 낳은 것이라 했다. (중략) 모화는 주막에서 술을 먹다 말고, 화랑이(박수)들과 어울려서 춤을 추다 말고, 별안간 미친 것처럼 일어나 달아나곤 했다. 물으면 집에서 '따님'이 자기를 부르노라고 했다.
>
> 그녀는 수국 용신님께서 낭이 따님을 잠깐 자기에게 맡겼으므로 자기는 그동안 맡아 있는 것뿐이라 했다. 그러므로 자기가 만약 이 따님을 정성껏 섬기지 않으면 큰어머님 되시는 용신님의 노염을 살까 두렵노라 하였다.
>
> 낭이뿐 아니라, 모화는 보는 사람마다 너는 나무귀신의 화신이다, 너는 돌 귀신의 화신이다 하여, 걸핏하면 칠성에 가 빌라는 둥 용왕에 가 빌라는 둥 했다.
>
> 모화는 사람을 볼 때마다 늘 수줍은 듯 어깨를 비틀며 절을 했다. 어린애를 보고도 부들부들 떨며 두려워했다. 때로는 개나 돼지에게도 아양을 부렸다.
>
> – 김동리, 「무녀도」 –

① 용신님 꿈으로 인해 낭이를 낳은 것은 모화가 인간적 한계를 넘어 자연의 세계에 다가선 것이다.
② 모화가 낭이를 정성스럽게 대하는 태도를 통해 신을 인간보다 우위로 보고 있음을 확인할 수 있다.

③ 모화가 다른 사람들에게 하는 말과 행동은 신이 인간에 내재해 있다고 보는 것과 관련이 있다.
④ 모화가 개나 돼지에게도 아양을 부리는 것은 신과 자연이 혼재되어 다양한 존재로 나타나기 때문이다.

10 밑줄 친 부분의 이유로 가장 적절한 것은?

뇌의 좌우 반구가 기능적으로 대칭적인 다른 동물과 달리 인간의 뇌는 비대칭적인 편측화가 일어난다. 언어 능력과 논리적 사고는 좌반구에서 담당하고, 공간, 구조, 배열의 파악은 우반구에서 담당한다. 그러나 분리 뇌 소유자는 발작 방지를 위해 좌·우뇌의 피질의 연결 부위인 뇌량을 절단하여 좌뇌와 우뇌가 각각 인지한 내용을 다른 쪽 뇌의 피질에 전달해 주지 못한다. 이러한 결함을 이용한 실험을 통해 분리 뇌 소유자는 정상적인 뇌를 가진 사람과는 다른 방식으로 뇌가 작동된다는 것을 알게 되었다. 예를 들어, <u>피실험자의 왼쪽 시야에 물건을 놓아 우뇌의 시각 피질이 그것을 지각하게 하고 무엇이 보이는지 물으면 그 사람은 아무것도 보이지 않는다고 답한다.</u> 분명히 우뇌가 물건을 보았지만 언어를 담당하는 좌뇌는 그 물건에 대한 정보를 전달받지 못했으므로 아무것도 보이지 않는다고 말하는 것이다. 정상적인 사람에게서는 '감각기'에 들어오는 정보가 간뇌의 시상을 거쳐 시·청각 피질과 같은 대뇌 피질의 1차 감각 영역으로 들어와 분석, 저장되고 그 분석 정보는 좌뇌의 해석기로 전달된다. '해석기'는 과거의 정보와 새로운 정보를 화해시켜 설명을 만들어 낸다. 분리 뇌 소유자에 대한 실험을 통해 연구자들은 사람의 해석기가 논리적 추론을 철저히 수행하여 판단하기보다는 적은 정보에서 단서를 찾아 신속하게 그럴듯한 이야기를 꾸며 내는 특성이 있음을 발견하였다.

① 감각기에 들어온 정보에 오류가 있기 때문에
② 우뇌가 좌뇌로부터 정보를 전달받지 못하기 때문에
③ 좌뇌의 해석기에서 정보가 결핍되었기 때문에
④ 지각된 정보를 통해 논리적 추론을 수행하기 때문에

11 작품에 나타나는 표현상의 특징으로 적절하지 않은 것은?

맑은 햇빛으로 반짝반짝 물들으며
가볍게 가을을 날으고 있는 / 나뭇잎,
그렇게 주고받는 / 우리들의 반짝이는 미소로도
이 커다란 세계를 / 넉넉히 떠받쳐 나갈 수 있다는 것을
믿게 해 주십시오.

흔들리는 종소리의 동그라미 속에서 /엄마의 치마 곁에 무릎을 꿇고
모아 쥔 아가의 / 작은 손아귀 안에 / 당신을 찾게 해 주십시오.

(중략)

달에는 / 은도끼로 찍어 낼 / 계수나무가 박혀 있다는
할머니의 말씀이 / 영원히 아름다운 진리임을
오늘도 믿으며 살고 싶습니다.

어렸을 적에 / 불같이 끓던 병석에서 / 한없이 밑으로만 떨어져 가던
그토록 아득한 추락과 / 그 속력으로
몇 번이고 까무러쳤던 / 그런 공포의 기억이 진리라는
이 무서운 진리로부터 / 우리들의 소중한 꿈을
꼭 안아 지키게 해 주십시오.

– 정한모, 「가을에」 –

① 색채의 대비를 통해 시적 의미를 강조하고 있다.
② 감각의 전이를 통해 대상을 형상화 하고 있다.
③ 경건한 어조를 통해 화자의 태도를 드러내고 있다.
④ 어미를 반복적으로 사용하여 운율을 형성하고 있다.

12 아래의 규정에 해당하지 않는 경우는?

제46항 단음절로 된 단어가 연이어 나타날 적에는 붙여 쓸 수 있다.

① 좀더 큰 것
② 네것 내것
③ 이말 저말
④ 그때 그곳

13 다음 작품에 쓰인 소재의 상징적 의미가 잘못 서술된 것은?

달아 밝은 달아 청천(靑天)에 떴는 달아
얼굴은 언제 나며 밝기는 뉘 시켰나
서산에 해 숨고 긴 밤이 침침한 때
청렴(靑奩)[1]을 열어 놓고 보경(寶鏡)[2]을 닦아 내니
일편 광휘(一片光輝)에 팔방이 다 밝았다
하룻밤 찬바람에 눈이 온가 서리 온가
어이 한 건곤(乾坤)이 백옥경(白玉京)[3]이 되었는가 (중략)
옷가슴 헤쳐 내어 광한전에 돌아앉아
마음에 먹은 뜻을 다 사뢰려 하였더니
심술궂은 뜬구름이 어디서 와 가리었나
천지회맹(天地晦盲)[4]하여 백물(百物)을 다 못 보니
상하 사방에 갈 길을 모르겠다 (중략)
단단환선(團團紈扇)[5]으로 긴 바람 부쳐 내어
이 구름 다 걷고자 기원녹죽(淇園綠竹)[6]으로
일천 장 비를 매어 저 구름 다 쓸고자 (중략)
우리도 단심(丹心)을 지켜서 명월(明月) 볼 날
기다리노라.

– 최현, 「명월음(明月吟)」 –

1) 청렴 : 젊은 여인이 쓰는 경대
2) 보경 : 보배롭고 귀중한 거울
3) 백옥경 : 옥황상제가 지낸다는 궁궐
4) 천지회맹 : 하늘과 땅이 캄캄하여 눈이 안 보임
5) 단단환선 : 얇은 비단으로 만든 부채
6) 기원녹죽 : 중국 허난성 기현에 있는 정원에서 나는 푸른 대나무

① '달', '명월'은 백성들에게 베푸는 임금의 선정을 뜻한다.
② '눈', '서리', '구름'은 혼란에 빠진 부정적 현실을 뜻한다.
③ '보경'은 임금의 선정을 백성에게 전하는 신하를 뜻한다.
④ '단단환선', '기원녹죽'에는 환란 극복의 의지가 담겨있다.

14 '가전(假傳)'의 특성 중 이 작품에 나타나지 않는 것은?

현부(玄夫)는 침착하고 국량이 깊었다. 태어났을 때 관상쟁이가, '등은 산 같고 무늬는 성좌를 이루었으니 신성할 상이다.'했다. 장성하자 역상을 깊이 연구하여 천지, 일월, 음양, 한서, 풍우, 회명, 재상, 화복의 변화를 미리 알아내었다.

(중략)

예저가 그를 협박하여 임금에게 바치려 하였다. 그가 왕을 뵙기 전에, 왕의 꿈에 어떤 사람이 검은 옷차림으로 수레를 타고 와서 아뢰기를, '나는 청강사자인데 왕을 뵈려 합니다.'했는데, 이튿날 예저가 현부를 데리고 왔다. 왕은 기뻐하여 그에게 벼슬을 주려 하니 현부가, '신이 예저에게 강압을 당하였고, 왕께서 덕이 있다는 말을 들었으므로 와서 뵙게 되었을 뿐, 벼슬은 신의 본의가 아닙니다. 왕께서 어찌 저를 보내지 않으려 하십니까?'하였다. 왕이 그를 놓아 보내려 하다가 그를 수형승에 임명하였다. 또 도수사자를 제수하였다가 곧 발탁하여 대사령을 삼고, 나라의 시설하는 일, 인사, 기거동작, 흥망을 모두 그에게 물어 행하였다.

왕이 농담하기를, '그대는 신명의 후손이며 길흉에도 밝은 자인데, 왜 몸을 일찍 보호하지 못하고 예저의 술책에 빠져 과인의 얻은 바가 되었는가?'하니 현부가, '밝은 눈에도 보이지 않는 것이 있고, 지혜도 미치지 못하는 곳이 있기 때문입니다.'라고 아뢰니, 왕이 크게 웃었다.

사신은 이렇게 평한다. "지극히 은미한 상태에서 미리 살피며, 징조가 나타나기 전에 예방하는 것은 성인이라도 어그러짐이 있다. 현부 같은 지혜로도 예저의 술책을 막지 못하고 두 아들이 삶아 먹힘을 구하지 못하였는데, 하물며 다른 이들이야 더 말할 것이 있겠는가! 옛적에 공자는 광(匡) 땅에서 고난을 겪었고 또 제자인 자로가 죽어서 젓으로 담겨짐을 면하지 못하게 하였으니, 아, 삼가지 않을 수 있겠는가."

① 동・식물에 인격을 부여해 주요 행적을 서술하고 있다.
② 우의적 방법을 사용하여 삶의 교훈을 전달하고 있다.
③ 중국의 고사를 나열하여 역사적 사실을 밝히고 있다.
④ 사신(史臣)의 말을 통해 주제 의식을 강조하고 있다.

15 다음 중 아래의 초고에 반영되지 않은 글쓰기 전략은?

> '감각 공해'란 사람이 감각 기관으로 인지할 수 있는 생활 활동과 밀접한 공해를 뜻한다. 오감과 관련된 모든 공해 중 빛 공해와 소음 공해가 가장 심각한 문제로 대두되고 있다.
>
> 빛 공해는 인공조명의 과도한 빛이 쾌적한 생활을 방해하거나 환경에 피해를 주는 것이다. 이러한 빛에 지속해서 노출되면 심혈관 질환, 소화기 장애, 호르몬 불균형으로 정서 및 신체 건강을 위협할 수도 있다. 소음 공해는 다양한 요인으로 발생하는 강한 소리가 피해를 주는 것이다. 소음은 스트레스 호르몬인 '코르티솔' 분비를 유도하고, 그로 인해 심장 박동, 혈압, 혈당 등을 높이는 교감 신경이 활성화되어 심혈관 질환 발병률이 높아진다. 세계보건기구에서는 소음이 심혈관 질환을 유발한다고 발표했고, 유럽 환경청은 이 문제로 매년 최소 1만 명이 조기 사망한다고 밝혔다.
>
> 우리나라는 국민의 쾌적하고 건강한 생활환경을 조성하기 위해 인공조명에 의한 빛 공해 방지법, 소음 · 진동 관리법 등을 시행하고 있지만, 지자체에서는 재정과 인력 문제로 공해 실태를 점검하거나 제대로 단속하지 못하고 있다. 민원이 다발하는 지역에 대한 관리 감독과 함께 빛 공해 실태 조사 및 점검을 실시하고, 시민들 역시 감각 공해의 위험성을 인지하고 이를 차단하기 위해 노력해야 할 것이다.

① 감각 공해 중 특히 심각한 두 가지 공해를 설명한다.
② 신체적 피해를 분석해 두 공해의 문제점을 강조한다.
③ 공신력 있는 기관의 발표를 근거로 신뢰성을 높인다.
④ 감각 공해와 관련된 법률의 개정이 필요함을 역설한다.

16 시 · 공간적 배경이 지닌 함축적 의미가 적절하지 않은 것은?

> 산 위에 올라서서 바라다보면
> 가로막힌 바다를 마주 건너서
> 님 계시는 마을이 내 눈앞으로
> 꿈 하늘 하늘같이 떠오릅니다.
>
> 흰 모래 모래 비낀 선창가에는
> 한가한 뱃노래가 멀리 잦으며
> 날 저물고 안개는 깊이 덮여서
> 흩어지는 물꽃뿐 아득입니다.
>
> 이윽고 밤 어둡는 물새가 울면
> 물결 좇아 하나둘 배는 떠나서
> 저 멀리 한바다로 아주 바다로
> 마치 가랑잎같이 떠나갑니다.
>
> 나는 혼자 산에서 밤을 새우고
> 아침 해 붉은 볕에 몸을 씻으며
> 귀 기울고 솔곳이 엿듣노라면
> 님 계신 창 아래로 가는 물노래
>
> 흔들어 깨우치는 물노래에는
> 내 님이 놀라 일어나 찾으신대도
> 내 몸은 산 위에서 그 산 위에서
> 고이 깊이 잠들어 다 모릅니다.
>
> – 김소월, 「산 위에」 –

① '산 위'는 화자가 희망을 꿈꾸는 공간이다.
② '선창가'는 임과의 거리감을 느끼게 하는 공간이다.
③ '아침'은 임의 소식을 기대하는 희망의 시간이다.
④ '그 산 위'는 임이 결국 나를 찾게 되는 공간이다.

17 다음 글의 주제로 가장 적절한 것은?

역사적으로 인류는 태양의 일주 운동을 관찰하여 시간 측정 단위를 만들어 사용하였으나, 다양한 요인으로 인해 그 주기가 일정하지 않아 시간을 정확하게 측정할 수 없었다.
갈릴레이는 중력에 의한 진자의 운동이 추의 질량과 상관없이 일정한 주기가 있다는 '진자의 등시성'을 통해 보다 정확한 시간 측정 단위를 찾고자 하였다. 이 역시 환경의 다양한 영향을 받기 때문에 오차가 발생한다. 그 후 물질의 변하지 않는 고유 진동수에 주목한 과학자들은 세슘 원자의 고유 진동수를 이용해 시간을 측정하려 했다. 진공 상태에서 자기장, 전자파 등을 차단하고 세슘 원자가 91억 9,263만 1,770회 진동할 때 걸리는 시간을 시간의 기초 단위로 정의하여 '세슘 원자시계'를 만들었다. 세슘 원자는 원자의 고유 진동수가 일정하고 빠르므로 태양이나 진자를 이용한 것보다 훨씬 더 정확하게 시간을 잴 수 있다. 시간을 측정하려는 노력은 과학과 기술뿐만 아니라 사회·경제 발전의 원동력이었다. 시계가 발명되어 시간이 모두에게 동일하게 소유될 수 있는 양적 개념으로 인식되면서 근대 자본주의 경제는 시간 중심의 경제 체제를 구축하게 되었다.

① 시간 측정 기술의 역사적 발전과 의의
② 시간 측정 단위에 쓰인 도구의 다양성
③ '세슘 원자시계'의 작동 원리와 문제점
④ 근대 자본주의 경제 체제에서 시간의 중요성

18 다음 밑줄 친 부분의 이유로 적절한 것은?

플라톤은 음악의 감정적 성격에 관심을 가지기도 했지만, 음악을 즐거움의 측면에서 주목하기보다 도덕적, 윤리적 측면으로 접근했다. 음악이 제공하는 감정적 흥분은 인간의 도덕적 성격에 막대한 영향을 미친다고 보았다. 그에 따르면 가장 좋은 선율은 영혼이나 육체의 덕 또는 덕의 이미지를 표현하는 선한 것이기 때문에 최고의 노래와 음악을 추구하는 사람들은 즐거움이 아니라 참된 덕을 찾아야 한다고 주장했다. 그러나 플라톤은 음악의 도덕적 영향력이 너무나 커서 인간의 감정을 타락시킬 가능성이 크다고 생각하며, 이러한 영향력이 미치는 부작용에 주의해야 한다고 생각했다. 그래서 그는 음악에 대한 엄격한 규제를 주장했는데, 가령 슬픈 음계의 음악은 누구에게도 쓸모가 없는 것이며 규제해야 할 대상이라고 생각했다. 또 <u>이상 국가에서는 복잡한 음계를 갖는 리라의 발명가들이나 기묘한 화음을 내는 현악기 제작자와 연주자를 추방해야 한다고 주장했다.</u>

① 모방하기 어려워 즐거움을 찾기 힘들기 때문에
② 인간의 감정을 타락시킬 가능성이 크기 때문에
③ 이상 국가는 감정적 동요를 일으키는 음악을 중시하므로
④ 최고의 음악가는 슬픈 선율로 덕의 이미지를 표현하므로

19 제시된 문장이 들어갈 곳으로 가장 적절한 것은?

위험도가 높아 단독으로 팔리지 않는 부실 채권도 이 같은 과정을 통해 신용 등급을 높일 수 있다.

자산 유동화란 현금화하기 어려운 기초 자산을 근거로 증권을 발행해 유동성을 확보하는 금융 기법이다. 자산 유동화 증권에 포함되는 다양한 자산은 금액, 만기, 이자율, 신용 등급이 모두 다르다. ① 자산 유동화 증권은 수많은 자산들을 집합함으로써 개별 자산들보다 높은 신용 등급을 가지게 된다. 예컨대 단일 채권은 부도가 나면 이자뿐만 아니라 원금도 돌려받을 수 없으므로 위험도가 매우 높다. ② 그렇지만 채권들을 여러 개 모아 놓으면 어느 한 채권이 부도가 나도 다른 채권들에서 발생한 이익으로 손실을 메울 수 있다. ③ 또한 자산 보유자는 다양한 집합을 통해 투자자의 수요에 적합한 금융 상품을 만들어 낼 수 있다. ④ 자산 유동화를 통해 자산 보유자는 현금 보유 비율을 높이고 재무 구조를 개선할 수 있으며, 투자자는 수익률과 위험도가 다른 다양한 투자 상품을 확보할 수 있게 된다.

20 다음 글을 읽고 추론한 것으로 적절하지 않은 것은?

리오타르는 칸트의 '숭고'의 개념을 분석하고 확장하여 자기 철학의 핵심 개념으로 삼았다. 리오타르는 숭고미가 근본적으로 재현할 수 없는 것을 재현하고자 할 때 발생한다고 했다. 이 관점에 따르면 재현할 수 없는 모든 대상은 근본적으로 숭고의 대상이 될 수 있으므로 현실 자체가 숭고한 것이며 어떠한 담론에 의해서도 현실 세계는 재현될 수 없다. 거대 담론은 세계를 재현한다고 하지만 실은 숭고한 현실을 은폐하는 이데올로기에 불과하므로, 숭고의 체험이란 이런 허구적 거대 담론의 위선을 드러내고 거짓된 통합을 해체하는 기제가 되는 것이다. 숭고란 이렇게 거대 담론의 제왕적 지위를 박탈하고 소소한 담론들을 갈등과 분쟁의 상태에 빠뜨리는 기능을 한다.

한편 리오타르는 숭고의 개념을 현대 미술과 연관지어 논의하였는데, 재현할 수 없는 숭고의 대상을 언어로 나타내는 것은 불가능하지만 이미지는 숭고를 표현할 수 있다고 보았다. 대상의 의미를 단일하게 한정하는 언어와 달리, 이미지는 한 가지 의미로 정의하기 어려우므로 수많은 해석이 가능하며 다양한 해석 사이에 갈등을 낳는다. 따라서 이미지야말로 숭고를 구현할 수 있는 유일한 수단인 동시에, 형상을 억압하고 담론을 숭상해 온 지금까지의 역사가 거짓된 진리를 숭배했다는 것을 폭로하는 기능을 하는 것이다.

자연과 인간의 대조를 통한 '숭고의 간접적 묘사'를 사용하는 낭만주의자와 달리, 리오타르는 형상의 묘사를 포기하여 인간의 한계를 넘어서는 존재의 위대함을 역설적으로 드러내는 '숭고의 부정적 묘사'에 주목했다. 이는 현대 예술에서 대상성이 사라지는 현상과 관련있다. 진정한 예술은 낯익은 세계의 재현을 파괴하여 어떤 낯선 세계를 드러내는 것이다. 리오타르는 이 같은 인식의 확장을 가능하게 하는 데에 숭고의 본질, 즉 현대 예술의 본질이 있다고 보았다.

① 숭고의 매커니즘은 역설적인 속성을 지니고 있다.
② 대상을 언어로 표현하면 그 특성을 한정 짓고, 나머지 다른 요소는 배제하게 된다.
③ 이미지는 형상의 세밀한 묘사를 통해 거짓된 진리를 숭배해온 역사를 폭로할 수 있다.
④ 현대 예술의 본질은 낯익은 세계의 재현을 파괴함으로써 관람자에게 인식의 확장을 가져오는 것이다.

제6회 국어 모의고사

01 다음 중 ㉠~㉣의 예로 적절하지 않은 것은?

> ㉠ 문장 성분끼리 호응하지 않는 경우
> ㉡ 문장의 성분이 누락되어 있는 경우
> ㉢ 불필요하게 의미가 중복된 경우
> ㉣ 조사나 어미가 의미에 맞게 사용되지 않은 경우

① ㉠: 아침에 끼니를 거르는 사람은 비단 나쁜이다.
② ㉡: 공사가 언제 시작되고, 언제 개통될지 모른다.
③ ㉢: 바다를 보니 뇌리 속에 영화의 한 장면이 떠올랐다.
④ ㉣: 밀린 업무가 많아서 발등에 불이 떨어졌다.

02 밑줄 친 단어의 의미가 ㉠과 가장 유사한 것은?

> 일본 수출제한조치 분쟁을 세계무역기구에서 ㉠ 다루었다.

① 그 상점은 주로 전자 제품만을 다룬다.
② 그는 주로 상품을 선적하는 업무를 다룬다.
③ 무고한 사람을 범인으로 다루었던 사건이다.
④ 내 친구는 어린 시절부터 악기를 잘 다루었다.

03 ㉠~㉣에 대한 설명으로 적절하지 않은 것은?

> ㉠ 해가 밝다. / 이제 날이 밝는다.
> ㉡ 오늘이 결승전이다. / 그는 오늘 집에 갔다.
> ㉢ 총 다섯 명이 왔다. / 총 다섯이 왔다.
> ㉣ 아차! 내 정신 좀 봐. / 눈길에 아차 잘못하여 넘어졌다.

① ㉠의 '밝다'가 동사로 쓰일 때는 현재형 어미와 결합한다.
② ㉡의 '오늘'이 부사로 쓰일 때는 격조사가 붙지 않는다.
③ ㉢의 '다섯'이 수사로 쓰일 때는 단위성 의존 명사와 함께 쓰인다.
④ ㉣의 '아차'가 감탄사로 쓰일 때는 독립적인 문장과 같은 기능을 한다.

04 다음의 한글 맞춤법 규정의 예시가 모두 적절한 것은?

> 제7항 'ㄷ' 소리 나는 받침 중에서 'ㄷ'으로 적을 근거가 없는 것은 'ㅅ'으로 적는다.
> 제30항 사이시옷은 다음과 같은 경우에 받치어 적는다.
> 1. 순우리말로 된 합성어로서 앞말이 모음으로 끝난 경우
> 2. 순우리말과 한자어로 된 합성어로서 앞말이 모음으로 끝난 경우
> 3. 두 음절로 된 다음 한자어

① 제7항: 돗자리, 웃어른, 쳇바퀴
② 제30항-1: 핏대, 텃마당, 냇가
③ 제30항-2: 햇수, 찻잔, 나룻배
④ 제30항-3: 툇간(退間), 갯수(個數), 셋방(貰房)

05 다음 글에 대한 설명으로 적절하지 않은 것은?

우리나라의 민법에는 일정한 사실 관계[1]가 오래 지속되는 경우 그러한 사실 관계를 존중해 권리관계[2]에 부합하는 것으로 보는 '시효 제도'가 있다. 시효 제도가 존재하는 이유에는 먼저 '법적 안정성'이 있다. 사실 관계가 오래 지속되어 고착화된다면 이를 진정한 권리관계로 인정함으로써 법률생활의 안정을 도모하는 것이다. '권리 위에 잠자는 자의 법익은 보호받지 못한다'는 법 철학자의 말은 법률에 의해 인정되는 권리라도 이를 행사하지 않느면 법이 조력할 필요성은 적다고 보는 것이다. 다음으로 '증거 보존의 곤란'도 시효 제도의 존재 이유로 들 수 있다.

우리 민법은 시효 제도로 '취득 시효'와 '소멸 시효'를 규정하고 있다. 우선, '취득 시효'는 어떤 사람이 권리를 행사하는 사실 관계가 일정 기간 지속되는 경우, 그 사람이 진정한 권리자인지 따져 보지 않고 인정하는 제도이다. 예를 들어 물건을 진정한 권리자인 양 일정 기간 점유하는 경우 진정한 권리관계와 관계없이 그 소유권을 취득할 수 있는 것으로 본다. 한편 '소멸 시효'는 진정한 권리자가 그 권리를 행사할 수 있음에도 일정 기간 권리를 행사하지 않는 상태가 지속될 경우 권리를 소멸시키는 제도이다. 우리 민법은 소유권을 제외한 재산권에 대해 일정 기간 그 권리를 행사하지 않는 경우 소멸 시효가 완성된다고 규정하고 있다.

[어휘 풀이]
1) 사실 관계 : 사람과 사람 또는 사람과 사물 사이의 사실상의 관계
2) 권리관계 : 권리와 의무 사이의 법률관계

① 법 조항을 인용하면서 내용을 전개하고 있다.
② 전문가의 말을 인용하여 신뢰성을 높이고 있다.
③ 표지어를 사용하여 중심 내용을 짜임새 있게 전달한다.
④ 개념 정의와 예시를 통해 독자의 이해를 돕는다.

06 다음 작품에 대한 해설로 적절하지 않은 것은?

가난이야 한낱 남루(襤褸)에 지나지 않는다.
저 눈부신 햇빛 속에 갈매빛의 등성이를 드러내고 서 있는
여름 산 같은 / 우리들의 타고난 살결 타고난 마음씨까지야 다 가릴 수 있으랴.

청산(靑山)이 그 무릎 아래 지란(芝蘭)을 기르듯
우리는 우리 새끼들을 기를 수밖엔 없다.

목숨이 가다가다 농울쳐 휘어드는
오후의 때가 오거든 / 내외들이여 그대들도
더러는 앉고 / 더러는 차라리 그 곁에 누워라.

지어미는 지애비를 물끄러미 우러러보고
지애비는 지어미의 이마라도 짚어라.

어느 가시덤불 쑥구렁에 놓일지라도
우리는 늘 옥(玉)돌같이 호젓이 묻혔다고 생각할 일이요.
청태(靑苔)라도 자욱이 끼일 일인 것이다.

① 비유를 통해 가난 속에서도 건강하고 순수한 본성을 강조하고 있다.
② 단정적 어미로 부모의 책임에 대한 당위성을 드러낸다.
③ 예스러운 어휘를 통해 과거로 회귀하려는 뜻을 나타낸다.
④ 상징적 소재를 사용해 고된 현실 속에서도 고결함을 잃지 말아야 함을 강조한다.

07 다음 작품에 대한 설명으로 적절하지 않은 것은?

어져어져 저기 가는 저 사람아
네 행색 보아하니 군사도망(軍士逃亡) 네로고나
허리 위로 볼작시면 베적삼이 깃만 남고
허리 아래 굽어보니 헌 잠방이 노닥노닥
곱장할미 앞에 가고 전태발이[1] 뒤에 간다
십 리 길을 하루 가니 몇 리 가서 엎쳐지리
내 고을의 양반 사람 타도타관(他道他官) 옮겨 살면
천(賤)히 되기 예사거든 본토(本土) 군정(軍丁) 싫다 하고
자네 또한 도망하면 한 나라의 한 인심에
근본 숨겨 살려 한들 어데 간들 면할손가

<중략>

어와 생원인지 초관(哨官)인지
그대 말씀 그만두고 이내 말씀 들어 보소
이내 또한 갑민(甲民)이라 이 땅에서 생장하니
이때 일을 모를소냐

<중략>

애슬프다 내 시절에 원수인(怨讐人)의 모해(謀害)로써
군사 강정(降定) 되단 말가 내 한 몸이 헐어나니
좌우 전후 많은 가족 차차 충군(充軍) 되거고야
누대봉사(累代奉祀)[2] 이내 몸은 하릴없이 매어 있고
시름없는 친족들은 자취 없이 도망하고
여러 사람 모든 신역 내 한 몸에 모두 무니
한 몸 신역 삼 냥 오 전 돈피 두 장 의법(依法)이라
열두 사람 없는 구실 합쳐 보면 사십 육냥
해마다 맞춰 무니 석숭인들 당할소냐

− 작자 미상, 〈갑민가(甲民歌)〉 −

[어휘 풀이]
1) 전태발이 : 다리를 저는 사람
2) 누대봉사 : 여러 대의 조상의 제사를 받듦.

① 대구법과 묘사를 통해 인물의 처지를 보여주고 있다.
② 과거 회상을 통해 고난의 원인을 제시하고 있다.
③ 두 화자의 대립적 견해를 대화 형식으로 드러내고 있다.
④ 설의법을 통해 현실에 대한 극복 의지를 나타내고 있다.

08 이 작품에 나타나는 '환상적 요소'와 관련이 없는 것은?

[앞부분의 줄거리] 송나라 때 김전과 장 씨는 뒤늦게 숙향을 얻었으나, 아이가 다섯 살 때 전쟁이 일어나 숙향과 헤어지게 된다.

이 무렵에 숙향은 피란하는 사람들이 다 흩어져 가 버린 밤중에 천지가 괴괴히 적막하고 달빛만 처량한데, 배고프고 슬퍼서 홀로 울고 있자니, 푸른 새가 나타나서 앞을 인도하였다. 숙향이 그 푸른 새를 따라서 한곳에 이르러 본즉, 큰 전각(殿閣)이 으리으리하고 풍경 소리가 은은히 울렸다. 홀연히 청의(靑衣)의 소녀가 그 전각에서 가만히 나와서, 숙향을 안고 들어가서 높은 집의 고운 자리에 놓았다. 숙향이 놀라는 눈으로 본즉, 한 부인이 화관(花冠)을 쓰고 칠보단장으로 황금교의에 앉았다가 숙향을 보고 황망히 자리에서 내려와서, 동편에 놓은 백옥교의로 자리를 옮겨 앉았다. 숙향이 그냥 울고만 있으니 부인이 입을 열어

"선녀가 인간 세계에 내려와서 더러운 물을 많이 먹어서 정신이 상하였으니, 선약 경액(瓊液)*을 쓰도록 하라."

부인의 명을 받은 시녀가 경액을 만호종에 가득 부어서 주니, 숙향이 그것을 받아서 마시매, 흐렸던 정신이 선명해지며, 전생의 월궁(月宮)의 선녀로 천상(天上)에서 놀던 일과 인간 세계에 내려와서 부모를 잃고 고생한 일을 역력히 알게 되니 몸은 비록 아이이나 마음은 어른이라.

* 경액(瓊液) : 신비로운 약물

① '푸른 새'는 숙향을 초현실 공간으로 안내하는 존재이다.
② '풍경 소리'는 숙향이 꿈을 꾸고 있음을 알려 준다.
③ '부인'은 천상계와 지상계에서의 숙향에 대해 알고 있다.
④ '경액'은 숙향이 전생 기억을 떠올리게 하는 매개체이다.

09 초고에 다음의 내용을 추가할 때 고려하지 않은 사항은?

> [초고] 유기농이란 화학 비료나 농약을 최소 3년 이상 사용하지 않은 땅에서 퇴비나 유기 비료만을 이용해 재배하는 농업 방식을 말한다. 이 때문에 유기농 식품은 건강에 좋고 안전하며 자연환경 보전에 좋다는 인식이 널리 퍼져있다. 그러나 세계적인 화학자 ○○은 유기농 식품이 살모넬라균, 아플라톡신 같은 천연 독소, 알레르기 유발 물질이 일반 식품에 비해 훨씬 많이 들어있다고 경고하였다. 한편 프랑스 식품 연구자들은 유기농 토마토와 일반 토마토의 비타민 C와 폴리페놀의 함량을 비교하였는데, 유의미한 차이를 발견하지 못했다고 하였다.
>
> [추가 내용] 또한 과학 전문 잡지에 발표된 연구에서는 유기농 식품 생산이 훨씬 많은 온실가스를 배출한다고 하였다. 이처럼 유기농 식품이 우리 몸에 절대적으로 안전하고 이롭다는 믿음은 과학적으로 입증된 바가 없으며, 환경에도 부정적 영향을 준다. 유기농 식품에 대한 정보를 정확히 안다면 건강에 도움이 되는 현명한 소비를 할 수 있을 것이다.

① 글 전체의 중심 내용을 한 문장으로 요약하여 제시한다.
② 중심 내용이 지닌 긍정적 가치를 제시하며 마무리한다.
③ 환경에 미치는 영향을 추가해 중심 내용을 강조한다.
④ 예상되는 반론을 제시하고 이에 대하여 재반박한다.

10 ㉠과 ㉡에 해당하는 표준어 예시가 적절한 것은?

> ㉠ 제21항 : 고유어 계열의 단어가 널리 쓰이고 그에 대응되는 한자어 계열의 단어가 용도를 잃게 된 것은, 고유어 계열의 단어만을 표준어로 삼는다.
> ㉡ 제22항 : 고유어 계열의 단어가 생명력을 잃고 그에 대응되는 한자어 계열의 단어가 널리 쓰이면, 한자어 계열의 단어를 표준어로 삼는다.

① ㉠ 푼돈, ㉡ 어질병
② ㉠ 홑벌, ㉡ 고봉밥
③ ㉠ 가루약, ㉡ 잔돈
④ ㉠ 양파, ㉡ 총각무

11 ㉠에 들어갈 한자성어로 가장 적절한 것은?

> 千世(천세) 우희 미리 定(정)ᄒᆞ샨 漢水北(한수북)에 累仁開國(누인개국)ᄒᆞ샤 卜年(복년)이 ᄀᆞᇫ 업스시니
> 聖神(성신)이 니ᅀᆞ샤도 [㉠] ᄒᆞ샤ᅀᅡ 더욱 구드시리이다
> 님금하 아ᄅᆞ쇼셔 洛水(낙수)예 山行(산행) 가이셔 하나빌 미드니잇가
>
> – 〈용비어천가〉 125장 –

① 論功行賞　② 敬天勤民
③ 驚天動地　④ 切磋琢磨

12 밑줄 친 부분과 가장 관련이 깊은 한자어는?

> 밤에 그 가지가 먼 밤하늘 찬란한 별들을 가리킬 때 생각하는 가을 나무, 나도 비로소 더 높이 별들의 풍요함을 가슴에 담으리라. 그리고 <u>이제까지는 아직도 알지 못했던 더 깊이 감춰 있는 영원한 비밀, 그 찬란한 진리를 향해 맑디맑은 새 눈을 열 수 있을 것이다.</u>
>
> – 박두진, 〈가을 나무〉 –

① 鼓吹　② 開眼
③ 茶飯事　④ 試金石

13 다음 발표를 들으며 메모한 내용으로 적절하지 않은 것은?

저는 우리말을 아끼고 바르게 쓰는 방법으로, '우리말 길 이름 짓기' 정책을 제안합니다. 현재 우리 학교의 건물들에는 이름이 있지만 학교 내의 길에는 어떤 이름도 없습니다. 제가 제안하는 정책의 목적은 첫째, 학교 구성원들 간에 학교의 길을 지칭하여 편리하게 소통하기 위함입니다. 길고 복잡하게 설명하지 않아도 되고, 듣는 사람 역시 쉽게 알아들을 수 있을 것입니다. 둘째, 이 정책을 우리 학교만의 특색으로 내세워 학생들의 애교심을 고양하기 위함입니다. 건물과 길에 우리말 이름을 붙여 부르는 것은 우리말을 소중히 여기기 위해 노력하는 학교에 다니고 있다는 자부심을 느끼게 할 것입니다. 이 정책을 시행할 때에는 다음과 같은 과정이 필요합니다. 먼저, 길 이름에 대한 공모를 받고, 선정 위원회를 구성해 후보군을 정한 후, 전체 투표를 통해 최종안을 결정하는 것입니다. 만일 학생들이 잘 부르지 않는다면 금세 잊힐 수 있으니 길 이름들을 푯말에 적어서 설치하면 좋겠습니다. '우리말 길 이름 짓기'는 우리 언어뿐만 아니라 문화와 정신을 가꾸는 첫걸음이 될 것입니다.

① 정책 목적: 의사소통의 편의성 증진, 애교심 고양
② 선정 과정: 공모 후 후보군을 선정해 전체 투표로 결정
③ 시행 방법: 길 이름과 유래를 푯말에 표기하여 설치
④ 정책의 의의: 언어를 비롯해 문화와 정신을 가꿀 수 있음.

14 다음 작품에 대한 설명으로 적절하지 않은 것은?

건우란 소년은 내가 직접 담임했던 제자다. 당시 나는 K라는 소위 일류 중학에서 교편을 잡고 있었다. 비가 억수로 내리던 날 첫 시간의 일이었다. 지각생이 많았다. 지각생이 많으면 교사는 짜증이 나게 마련이다. 그럴 때 유독 닦이는 놈은 으레 그런 일이 잦은 놈들이다.

"넌 또 지각이로군? 도대체 어찌 된 일이냐?"

건우의 차례였다. 다른 애와 달리 그는 옷이 비에 흠뻑 젖어 있었다. 아래 윗도리 옷깃에서 물이 사뭇 교실 바닥에 뚝뚝 떨어지고 있지 않은가! / "나룻배 통학생임더."

낮고 가는 목소리가 그의 가냘픈 입술 사이에서 새어 나오듯 했다. 그리고 이내 울상이 된 얼굴을 아래로 떨구었다. 차라리 무엇인가를 하소연하는 듯이 느껴졌다.

"나룻배 통학생?" / 이쪽으로선 처음 듣는 술어였다.

"맹지면에서 나룻배로 댕기는 아입니더."

지각생 아닌 다른 애가 대신 대답했다. 맹지면(鳴旨面)이라면 김해 땅이다. 낙동강 하류. 강을 건너야만 부산으로 나올 수 있는 곳이다. / "나룻배 통학생이라……."

나는 건우의 비에 젖은 옷을 바라보면서 자리에 들어가라고 했다. 이런 일이 있고부터 나는 건우란 소년에게 은근히 동정이 가게 되었다. 더더구나 아버지가 없다는 걸 알고부터는. 동무들끼리 어울려 놀 때도 그를 곧잘 '거무(거미)'라고 놀려 대던 이상한 별명의 유래도 곧 알게 되었다. 그의 고향 친구들의 말에 의하면 거미란 짐승은 물에 날쌘 놈이라 해서 즈 할아버지가 지어 준 아명이었다는 거다. 거미! 강가에 사는 사람들의 자식 아끼는 심정을 가히 짐작할 수가 있었다. 호적에 올릴 때는 부득이 건우로 했으리라. 그것도 아마 누구의 지혜를 빌려서.

① 별명을 통해 인물의 평탄한 삶을 암시하고 있다.
② 방언을 사용하여 작품의 사실성을 높이고 있다.
③ 서술자는 등장인물이자 관찰자의 역할을 하고 있다.
④ 직접 제시를 통해 인물의 심리를 드러내고 있다.

15 ㉠과 ㉡의 협상 전략으로 적절하지 않은 것은?

> ㉠ 주민 측: 주민 쉼터 시설 설치에 대해 먼저 논의 할까요?
> ㉡ 구청 측: 좋습니다. 지난번 제안서에 있던 내용인가요?
> 주민 측: 네, 어린이 놀이 시설인 미끄럼틀과 그네 설치에 대한 것입니다. 저희 동은 아동 수에 비해 놀이터가 작아 아이들이 안전하게 놀 공간이 필요합니다.
> 구청 측: 그러시군요. 예산이 넉넉하면 그렇게 해드리겠지만 현재로서는 정자 두 동과 운동 기구 설치에 예산 대부분이 쓰일 예정이라 쉽지 않을 것 같습니다. 운동 기구는 고령층 주민들께서 예전부터 요청하신 거라 제외하기 어려우니 이해해 주셨으면 합니다.
> 주민 측: 주민 대상 설문조사에서 어린이 놀이 시설 요청이 확연히 많았고, 이에 대한 민원도 많은 것으로 알고 있습니다. 혹시 정자를 한 동 빼고 어린이 놀이 시설을 설치하면 예산 내에서 가능하지 않을까요?
> 구청 측: 그래도 괜찮으시다면 가능합니다만, 미끄럼틀과 그네는 공간을 많이 차지해서 택일 하셔야 합니다.
> 주민 측: 좁은 곳도 설치 가능한 시소로 변경하겠습니다.
> 구청 측: 네, 그러면 미끄럼틀과 시소 설치로 합의하시죠.

① ㉠은 수요가 높은 점을 근거로 필요성을 강조하고 있다.
② ㉡은 한정된 자원을 근거로 들어 상대방의 요구를 수용하지 못하는 이유를 밝히고 있다.
③ ㉠은 더 많은 자원을 확보할 수 있는 방안을 제시하여 자신들의 요구를 관철하고자 한다.
④ ㉡은 상대방의 제안에 대해 수용 가능한 범위를 제시하여 이견을 좁히고 있다.

16 ㉠에 들어갈 말로 가장 적절한 것은?

> 어느 초원은 마을 주민의 공동 소유지로, 이곳 주민이라면 누구든지 자신의 양을 키울 수 있었다. 처음과 달리, 마을의 인구가 증가하고 초원에서 풀을 뜯는 양의 숫자도 증가하면서 문제가 생겼다. 마을 주민들의 개인적 욕심 때문에 양의 숫자는 계속 증가해 제한된 자원인 초원은 풀을 스스로 보충하는 능력을 상실해 결국 황무지가 되고 말았다. 이로 인해 마을 주민들은 더 이상 양을 기를 수 없게 됐다.
> 한편 양식 어업은 대개 시설물 설치와 관리가 용이하고 양식 생물의 먹이가 풍부한 연안 수역에서 이루어진다. 초기에는 자연의 자정 능력 덕분에 큰 문제없이 성장했다. 그러나 개인의 이익을 위해 어류의 생산량을 증대하려고 한곳에서 지속적, 집약적인 양식을 하자 사료 찌꺼기나 어류 배설물이 양식장 바닥에 퇴적되어 연안의 자정 능력을 초과하게 되었다. 이로 인해 양식장과 주변 어장에 황폐화 현상이 나타났다. 어장의 황폐화는 육상 농업에서 경험한 공유 자원의 비극이 바다에서도 발생할 수 있음을 보여준다. 이처럼 공유 자원의 비극은 [㉠] 때문에 발생한다.

① 사람들이 공동의 자원을 남용하여 고갈시키기
② 사람들이 자연의 자정 능력을 과소평가하기
③ 개인의 이익보다 공동의 이익을 우선시하기
④ 자원 사용에 대한 정부의 규제가 마련되지 않았기

17 ㉠과 ㉡에 들어갈 내용으로 가장 적절한 것은?

기업은 생산을 담당하고, 가계는 소비를 하며, 정부는 정책을 결정한다. 이들 경제 주체들은 편익에서 비용을 뺀 순 편익이 가장 큰 대안을 고려하여 합리적인 선택을 하려고 노력한다. 편익에는 기업의 판매 수입과 같은 금전적인 것과 소비자가 상품을 소비함으로써 얻는 정신적 만족감과 같은 비금전적인 것이 있다. 그리고 비용은 명시적 비용과 암묵적 비용 중 가장 큰 것의 합이다. 전자는 화폐로 직접 지불하는 비용을 말하고, 후자는 어떤 선택으로 인해 포기한 다른 대안의 가치를 의미한다.

순 편익은 한계편익과 한계비용이 같을 때 가장 커지는데, 한계편익은 어떤 선택에 의해 추가로 발생하는 편익이며, 한계비용은 그 선택에 의해 추가로 발생하는 비용이다. 예를 들어, 상품을 1개 더 살지 고민하고 있는 소비자의 한계편익은 상품을 1개 더 사는 데에서 [㉠]이며, 한계비용은 상품을 1개 더 사기 위해 [㉡]이다.

	㉠	㉡
①	추가로 얻는 상품	추가로 드는 노력
②	추가로 얻는 만족감	추가로 드는 비용
③	추가로 얻는 상품	추가로 드는 노동
④	추가로 얻는 만족감	추가로 드는 불편

18 ㉠에 대한 설명으로 적절하지 않은 것은?

정온 동물은 심부 온도가 일정 범위를 벗어나면 생명 유지에 필요한 대사 기능 장애가 초래된다. 그래서 인체는 심부 온도를 37±2℃ 정도로 유지시키는 ㉠ <u>체온 조절 시스템</u>을 갖추고 있다. 체내 기관이나 조직에서 발생하는 산열은 피부로 방출되는데, 외부 온도가 높으면 산열이 피부를 통해 보다 원활하게 방출되도록 하는 작용이 나타난다. 그런데 운동으로 근육 조직에서 다량의 산열이 발생하면, 방열의 양을 늘리기 위해 평상시와 다른 방열 시스템이 작동된다.

산열은 기본적으로 혈액 순환을 통해 이루어지는데, 심부 온도로 데워진 동맥혈이 피부 혈관에서 열을 잃은 후 찬 정맥혈이 되어 심장으로 돌아오는 것이다. 평상시의 체온 조절 시스템은 피부 온도와 같은 온열성 정보에만 의존하여 작동한다. 이에 따라 혈관의 확장에 의한 비증발성 방열 작용과 땀의 증발에 의한 증발성 방열 작용이 작동된다. 한편 운동 시의 방열 시스템은 온열성 정보와 함께 근육이 팽팽한 정도나 혈압 등 비온열성 정보까지 종합적으로 반영된다. 운동을 하면 다량의 혈액이 근육으로 몰려서 피부 혈관이 수축될 수밖에 없다. 이로 인해 비증발성 발열량은 평상시보다 줄어든 상태를 오래 유지하고, 가급적 빨리 땀이 많이 나도록 하는 증발성 발열 작용은 활발해진다.

① ㉠이 잘 작동하지 않으면 대사 기능 장애가 초래된다.
② 운동할 때는 ㉠이 평상시보다 방열량을 늘리려고 한다.
③ 평상시에는 온열성 정보에만 의존하여 ㉠이 작동한다.
④ 운동 시의 ㉠은 비증발성 발열 작용을 활발하게 한다.

19 다음 중 ㉠~㉣에 해당하는 예시가 적절하지 않은 것은?

> 배제성은 어떤 재화의 사용에 대한 대가를 지불하지 않은 사람들을 그 재화의 소비로부터 배제할 수 있는 속성이다. 일부의 재화는 일단 생산되면 그 재화의 사용으로부터 사람들을 배제할 수 없는데, 이 경우에 그 재화는 비배제성을 갖는다. 한편, 경합성은 어떤 재화를 누군가가 소비하거나 사용한다면 다른 사람이 그 재화를 소비하거나 사용하는 데 지장을 초래한다는 의미이다. 어떤 재화는 누군가가 소비하거나 사용하더라도 다른 사람에게 아무런 지장이 없는데, 이 경우에 그 재화는 비경합성을 갖는다. 이러한 배제성과 경합성을 기준으로 재화를 네 가지 유형으로 분류할 수 있다. 먼저 ㉠ 사적 재화는 배제성과 경합성이 있는 재화들이다. ㉡ 클럽재는 배제성은 있으나 경합성은 없는 재화들이다. ㉢ 공유 자원이라고 불리는 재화들은 배제성은 없으나 경합성은 있다. ㉣ 공공재는 소비가 비배제적이고 비경합적이다.

① ㉠ – 중고용품점에서 판매하는 상품
② ㉡ – 요금을 부과하는 케이블 TV
③ ㉢ – 개방된 해역에 서식하는 물고기
④ ㉣ – 교통체증이 일어나는 무료 도로

20 ㉠~㉤의 순서로 적절한 것은?

> ㉠ 틸트다운은 웹툰에 주로 응용되는 트랜지션 중 하나이다. 틸트는 원래 카메라 조작의 한 방법으로 카메라를 고정한 채 상하로 움직여 가며 촬영하는 행위인데, 웹툰에서는 세로로 긴 화면을 위에서부터 아래로 내리며 보여 준다.
>
> ㉡ 웹툰에서는 이런 방법 외에 장면을 전환할 때 주로 사용하는 트랜지션이 활용되기도 한다. 블랙아웃은 장면 전환, 시간의 변화, 시선 집중의 효과가 필요할 때 활용된다.
>
> ㉢ 이런 웹툰의 특성은 작가의 의도를 효과적으로 구현하는 데 활용되기도 한다. 우선 단절된 두 개의 칸으로 시간의 흐름을 나타낼 수 있다. 동일한 이미지의 두 칸 중 위 칸은 어둡게 하여 밤을, 아래 칸은 밝게 하여 아침을 표현한다.
>
> ㉣ 웹툰은 인터넷을 통해 연재되는 만화로, 작가의 의도를 비교적 제약 없이 표현할 수 있고, 화면을 아래로 무한하게 이어 나갈 수 있다. 대개 웹툰은 화면 전체가 한눈에 들어오지 않아서 독자는 위에서부터 아래로 감상할 수밖에 없다.
>
> ㉤ 한편 웹툰에서는 칸과 칸 사이에 충분한 공간을 둘 수 있어서 시간 변화뿐 아니라 다른 효과를 구현할 수도 있다. 위 칸과 아래 칸 사이에 하얀 배경을 주며 문구를 삽입했다면, 독자는 이를 차례대로 보게 되므로 내용에 집중하게 하고 메시지도 전달하는 일석이조의 효과를 얻을 수 있다.

① ㉣ – ㉢ – ㉤ – ㉡ – ㉠
② ㉣ – ㉢ – ㉡ – ㉠ – ㉤
③ ㉣ – ㉤ – ㉢ – ㉠ – ㉡
④ ㉣ – ㉡ – ㉠ – ㉢ – ㉤

제7회 국어 모의고사

01 ㉠~㉢에 들어갈 말로 적절한 것은?

다음은 음운의 변동과 음운 개수의 변화를 정리한 것이다.

단어	음운 변동 유형	공통된 음운변동 유형	음운 개수 변화
덮개	교체	㉡	0
색연필	첨가		+1
걷히다	축약		㉢
㉠	탈락		−1

	㉠	㉡	㉢
①	열쇠	교체	0
②	날짐승	교체	-1
③	핥다	첨가	0
④	닦다	첨가	-1

02 다음 단어들의 문법 요소에 대한 분석으로 잘못된 것은?

① 씌우다: 어간과 어근의 형태가 일치하지 않는다.
② 캐묻다: 어간이 어근 두 개의 결합으로 이루어져 있다.
③ 메마르다: 어근의 품사를 바꾸는 접사가 결합하였다.
④ 솟구치다: 어간에 어미가 붙고, 다시 접사가 결합하였다.

03 ㉠과 ㉡에 모두 해당하는 예문으로 적절한 것은?

부정 표현에는 부사 '안'과 '못'을 사용하는 짧은 부정문과 ㉠ '-지 아니하다'와 '-지 못하다' 등을 사용한 긴 부정문이 있다. 부정 표현은 능력 부정, 의지 부정 외에도 ㉡ 단순히 사실이나 상태를 부정하는 경우도 있다.

① 나는 병원에 가려고 학교에 가지 않았다.
② 동생은 힘이 부족해서 상자를 옮기지 못했다.
③ 우리가 묵은 방은 다섯 평이 채 못 된다.
④ 비가 많이 내리는 날은 경기가 열리지 않는다.

04 다음 중 ㉠~㉣에 해당하는 예로 적절하지 않은 것은?

목적어는 문장에서 주로 서술어가 나타내는 동작의 대상이 되는 문장 성분이다. '형은 (목적어) 갔어.'라는 문장에서 목적어는 다음과 같은 형태로 나타난다.
㉠ 체언 + 목적격 조사 '을/를'
㉡ 체언 + 특정한 의미를 더해 주는 보조사
㉢ 체언 단독
㉣ 체언 + 보조사 + 목적격 조사

① ㉠의 예로 '학교를'을 넣을 수 있다.
② ㉡의 예로 '지름길로'를 넣을 수 있다.
③ ㉢의 예로 '무전여행'을 넣을 수 있다.
④ ㉣의 예로 '정도(正道)만을'을 넣을 수 있다.

05 ㉠~㉣을 고쳐 쓴 것으로 적절하지 않은 것은?

크라우드 펀딩은 익명의 사람들로부터 후원금을 받아 자금을 ㉠ 마련합니다. 크라우드 펀딩을 전문으로 하는 온라인 플랫폼에서 프로젝트 성격, 펀딩의 목표 금액, 펀딩 자금으로 완성될 결과물을 올립니다. 일정 기간 모금을 하고 목표 금액이 ㉡ 달성되면 결과를 공개하는 방식으로 진행합니다.

크라우드 펀딩을 활용할 경우 여러 가지 장점이 있습니다. 크라우드 펀딩은 어느 때나 후원이 가능하며, 이를 통해 소비자들에게 이번 프로젝트에 대한 관심을 불러일으킬 수 있습니다. ㉢ 하지만 단점이 전혀 없는 것은 아닙니다.

최근 프로젝트 진행을 위한 자금 조달 방식으로 크라우드 펀딩이 많이 활용되어 그 효과가 입증되고 있습니다. ㉣ 그러므로 저희도 이번 프로젝트를 원활하게 진행하기 위해 크라우드 펀딩을 적극 활용할 것을 건의합니다.

① ㉠: 주어와 서술어 호응에 맞게 '마련하는 것입니다.'로 고친다.
② ㉡: 잘못된 피동 표현이므로 '달성하면'으로 고친다.
③ ㉢: 글의 흐름에 어긋나는 문장이므로 삭제한다.
④ ㉣: 접속어가 문맥에 적절하므로 고칠 필요가 없다.

06 다음 글의 제목으로 가장 적절한 것은?

헤겔은 노동을 사적 소유권의 근거를 넘어 주체와 객체가 통일되는 과정이며, 자기의식과 자기 정체성을 통일하는 과정이자 확보하는 계기라고 주장했다. 헤겔은 주체와 객체는 서로 분리·고립되어 있다가 노동을 통해 노동 산물 속에서 통일되어 가며, 주체는 그 속에 실현된 자기 대상화의 정도만큼 자기의식을 확보한다는 것이다. 그런데 헤겔은 노동 산물이 주체의 소유지만, 여전히 주체와 분리되어 있고, 주체를 완전히 표현하지도 못하기에 노동을 통한 주객 통일에 한계가 있다고 지적했다.

이에 비해 마르크스는 헤겔의 노동관을 수용하면서도 노동 자체가 한계를 지닌다는 주장에는 동의하지 않았다. 인간은 노동을 통해 만들어 낸 노동 산물에서 자신의 능력을 확인하고 자기의식과 정체성을 확보하게 된다고 보았다. 더 나아가 자신의 능력을 더욱 개발하여 자연의 구속으로부터 벗어나 자유를 획득하면서 자아를 실현하게 되는 것이다. 이러한 관점에서 그는 노동이 가장 현실적인 주객 통일의 방법이자 인간의 자아실현 과정이라 주장한 것이다. 다만 그는 노동을 통한 주객 통일의 한계가 사회적 구조의 한계에서 비롯된다고 분석하며, 노동을 통한 인간의 자아실현을 완성하기 위해서 사회 구조를 변혁해야 한다고 역설했다.

① 노동을 통한 주객 통일의 한계점
② 자아실현의 과정에 따른 노동의 역할 변화
③ 노동에 대한 헤겔과 마르크스의 철학적 관점
④ 인간 해방을 위한 사회 구조 변혁의 필요성

07 다음의 한글맞춤법에 대한 설명으로 적절하지 않은 것은?

① '女性'의 경우, '신여성'으로 표기하는 것은 접두사처럼 쓰이는 한자어가 붙어서 된 단어이기 때문이다.
② '力量'의 경우, '역량'으로 표기하는 것은 단어의 첫머리에 올 적에 두음 법칙이 적용되기 때문이다.
③ '年度'의 경우, '생산 연도'와 달리 '2020년도'로 표기하는 것은 후자가 명사로 쓰였기 때문이다.
④ '百分率'의 경우, '백분율'로 표기하는 것은 '률'이 'ㄴ' 받침 뒤에 이어졌기 때문이다.

08 다음 중 지원자의 말하기 방식으로 적절하지 않은 것은?

면접자: 저희 동아리에 지원하게 된 동기는 무엇인가요?
지원자: 평소에 월드 뮤직에 관심이 많은데 방송부 활동을 통해 음악과 관련하여 소통하고 싶어서 방송부에 지원을 하게 되었습니다.
면접자: 월드 뮤직에 관심이 많다고 하셨는데 이와 관련하여 특별한 활동을 하는 것이 있나요?
지원자: 특별한 활동이라면 온라인 활동도 포함되나요?
면접자: 네, 그렇습니다.
지원자: 아직 글이 많지는 않지만, 세계의 다양한 음악과 음악가들에 관한 내용을 정리하고, 저의 감상을 꾸준히 블로그에 기록하고 있습니다.
면접자: 그렇군요. 만약 우리 동아리에 참여하게 된다면 부원으로서 구체적으로 어떤 일을 해보고 싶습니까?
지원자: 블로그 운영 경험을 살려 동아리 블로그를 관리해보고 싶습니다. 그리고 점심 음악 방송의 선곡과 관련한 자료를 조사하는 일도 하고 싶습니다.

① 자신의 경험과 관련해 동아리 활동 계획을 밝히고 있다.
② 관심사와 관련하여 타인과 소통한 경험을 언급하고 있다.
③ 평상시의 관심사를 바탕으로 지원 동기를 밝히고 있다.
④ 면접자가 하는 질문의 범위를 확인한 후 답변하고 있다.

09 다음 중 ㉠에 대한 이해로 적절한 것은?

인과 관계와 상관관계가 모두 선후 관계를 지니는 경우 이 둘은 혼동될 수 있다. 상관관계는 사건 간의 관련성이 있다는 뜻이다. 이때 양의 상관관계는 두 변수가 동일한 방식으로 변화하는 것인 반면, 음의 상관관계는 두 변수가 서로 상반되는 방식으로 변화한다. 상관 계수는 변수들 간 관계의 정도와 변화 방식을 수치로 보여주는데, 상관 계수 r은 -1에서 +1 사이의 값을 가진다. r의 절댓값이 높을수록 상관관계가 높으며, r의 값이 '0'인 영의 상관관계는 두 변수 사이에 상관관계가 성립하지 않는다는 뜻이다.

하지만 두 변수 간에 일정한 관련성이 입증된다 하더라도 ㉠ <u>상관관계는 인과 관계의 필요조건일 뿐 충분조건이 아니다.</u> 'A이면 B이다.'라는 명제가 성립할 때, A이면 반드시 B이므로 A는 B가 성립하기 위한 충분조건이지만, B라고 해서 반드시 A가 되는 것은 아니기에 B는 A가 성립하기 위한 필요조건이다. 따라서 상관관계를 지닌 두 변수 사이에 인과 관계가 반드시 성립하지는 않는다. 하지만 상관관계를 지닌 두 변수가 인과 관계에 놓여 있는 것으로 착각할 가능성이 높다. 이러한 인과의 오류가 발생하는 원인에는 누락된 변수와 역의 인과 관계가 있다. 누락된 변수는 연구에서 고려되지 못한 변수를 말하고, 역의 인과 관계는 상관관계에 있는 두 변수가 지닌 원인과 결과의 방향을 실제와 반대로 잘못 해석하는 것이다.

① 인과 관계가 성립하는 두 변수는 상관관계도 성립한다.
② r의 값이 '0'인 경우에 인과 관계가 성립할 수 있다.
③ 한 사건이 다른 사건의 직접적 원인이라면 이 둘은 상관관계가 없다.
④ 누락된 변수가 없으면 상관관계가 인과 관계의 충분조건이 된다.

10 다음 작품에 대한 설명으로 적절하지 않은 것은?

> 지금은 남의 땅 — 빼앗긴 들에도 봄은 오는가?
>
> 나는 온몸에 햇살을 받고,
> 푸른 하늘 푸른 들이 맞붙은 곳으로,
> 가르마 같은 논길을 따라 꿈 속을 가듯 걸어만 간다.
>
> 입술을 다문 하늘아, 들아,
> 내 맘에는 나 혼자 온 것 같지를 않구나!
> 네가 끌었느냐, 누가 부르더냐. 답답워라. 말을 해 다오.
>
> [중략]
>
> 강가에 나온 아이와 같이,
> 짬도 모르고 끝도 없이 닫는 내 혼아,
> 무엇을 찾느냐, 어디로 가느냐, 웃어웁다, 답을 하려무나.
>
> 나는 온몸에 풋내를 띠고,
> 푸른 웃음, 푸른 설움이 어우러진 사이로,
> 다리를 절며 하루를 걷는다. 아마도 봄 신령이 지폈나 보다.
>
> 그러나 지금은 — 들을 빼앗겨 봄조차 빼앗기겠네.
>
> – 이상화, 〈빼앗긴 들에도 봄은 오는가〉 –

① 시각을 청각화하는 감각의 전이가 일어나고 있다.
② 자연물을 의인화하고 말을 건네는 방식을 사용하고 있다.
③ 격정적인 호흡과 영탄적인 어조를 사용하고 있다.
④ 질문–대답의 변형된 수미상관의 구조를 이루고 있다.

11 ㉠에 대한 비판으로 적절하지 않은 것은?

> ㉠ '신경 미학'은 미학 연구에 신경 과학 연구 방법론을 적용한 분야이다. 기능적 자기 공명 영상 기법(fMRI)과 같은 신경 과학 기술을 사용하여 피험자들의 미적 경험을 연구한다. 신경 과학자 제키의 팀은 일반적으로 색상이 아름답다고 평가되는 작품과 그렇지 않은 작품에 대한 내측 안와 전두엽의 활성화 차이를 실험으로 규명하였다. 특히 이 부위는 의식적인 미적 체험과 밀접하게 관련되는 신경 해부학적 위치이며, 자극의 가치 판단에 관여하는 핵심 영역이기 때문이다. 실험 결과 색상이 아름답다고 평가되었던 그림에서 '추함'이나 '보통' 혹은 휴식기에 비해 이 부위의 활성화가 유의미하게 나타났다. 이같이 신경 미학을 통해 예술과 아름다움의 신경적 기반을 조명할 수 있게 되었다. 또한 신경 미학자들은 '분해'와 '양화'를 통해 주관적일 수 있는 미학적 담론에 객관적인 근거를 보강함으로써 미학에 대한 타당성 있는 논의가 이루어질 수 있는 기틀을 마련하였다. 전자는 미적·예술적 대상들을 색상, 기하학적 형식 등으로 분해하여 이를 통해 미적 쾌락에 영향을 주는 요인을 찾아내는 기준으로 삼는 것이다. 그리고 후자는 특정 예술 작품에 대한 선호도를 숫자로 고르게 하는 '선택의 방법'을 통해 예술 작품에 대한 주관적 경험을 객관적으로 양화하는 것이다.

① 실험실에서 유도된 경험은 진정한 미적 경험이 아닐 수 있다.
② 분해와 양화의 과정을 거치면서 미적·예술적 경험의 본성이 보존되는지의 여부가 보장되지 않는다.
③ 미(美) 또는 선호의 척도들이 미적 경험을 어느 정도까지 나타낼 수 있는지 확실하지 않다.
④ 내측 안와 전두엽 부위가 의식적인 미적 체험과 관련이 깊지 않을 수 있다.

12 다음 중 인터뷰의 마지막 질문으로 가장 적절한 것은?

학생: 사운드 디자이너라는 직업이 저희들에게는 무척 낯선데요, 어떤 일을 하시는 건가요?
선배: 각종 기기들에서 나는 인위적인 소리를 만드는 사람이 바로 사운드 디자이너입니다. 우리가 제품을 사용할 때 특정 소리를 반복해서 듣다 보면 어느새 기억 속에 소리가 각인돼 해당 제품의 이미지로 남게 됩니다. 그때 제품의 이미지가 결정되기 때문에 제조사에서는 사운드 디자인을 중요하게 인식하고 있습니다.
학생: 사운드 디자이너가 되기 위해 어떤 공부를 할까요?
선배: 공학적인 지식과 함께 음향이나 음악과 관련한 전공을 하면 좋습니다. 또한 소리에 대한 감수성과 이해력을 기를 수 있도록 다양한 음악을 많이 접하세요.
학생: 네, 그렇군요. 끝으로 ______________
선배: 우리나라의 전자 제품이 세계적으로 인정받고 우리 영화나 게임의 위상이 높아지는 현실을 볼 때, 사운드 디자인 시장은 앞으로 더욱 커지리라 생각합니다.

① 사운드 디자이너와 관련된 전공 학과는 무엇이 있을까요?
② 사운드 디자이너로서 해외 취업 가능성이 있을까요?
③ 사운드 디자이너를 중시하는 산업 분야는 무엇이 있을까요?
④ 사운드 디자이너의 직업적 전망은 어떨까요?

13 ㉠~㉣을 바꾸어 쓰기에 적절하지 않은 것은?

헤겔에 의하면 '인정 투쟁'은 자유 실현의 ㉠ 주춧돌이 된다. 주인은 자유를 행사하고 자신의 의지대로 행동하지만, 노예는 주인을 위해 생산과 봉사를 하며 종속을 받아들인다. 이 관계는 어느 순간 ㉡ 금이 생기기 시작한다. 주인은 노예의 노동이 없으면 자신의 존엄성을 인정받지 못하는 일방적 관계 속에 있음을 깨닫기 시작한다. 노예도 자신이 자립적인 존재가 아닌 것에 의구심을 가지게 된다. 노예는 자신의 내면에서 ㉢ 눈뜨기 시작한 '자유와 자기의식에 대한 깨달음'과 그로 인한 '인격적 욕구'를 버릴 수 없다. 노예는 갈등과 모순을 겪으며 자유와 자기의식을 실현하고자 투쟁한다. 인정 투쟁의 끝은 주인-노예 관계가 ㉣ 뒤집히는 게 아닌 노예가 없는 상태, 서로를 주인으로 인정하는 것이다.

① ㉠: 完成 ② ㉡: 龜裂
③ ㉢: 自覺하기 ④ ㉣: 逆轉되는

14 다음의 내용과 가장 관련이 없는 한자성어는?

내가 출석을 부르지 않아도 그것들은 올 것이다. 그대로 나는 그것들이 올해도 하나도 결석하지 않고 전원 출석하기를 바라기 때문에 그것들이 뿌리로, 씨로 잠든 땅을 함부로 밟지 못한다. 그것들이 왕성하게 자랄 여름에는 그것들이 목마를까봐 마음 놓고 어디 여행도 못 할 것이다. 그것들은 출석할 때마다 내 가슴을 기쁨으로 뛰놀게 했다. 100식구는 대식구다. 나에게 그것들을 부양할 마당이 있다는 걸 생각만 해도 뿌듯한 행복감을 느낀다. 내가 이렇게 사치를 해도 되는 것일까. 괜히 송구스러울 때도 있다.

그것들은 내가 기다리지 않아도 올 것이다. 그래도 나는 기다린다. 기다리는 기쁨 때문에 기다린다.

① 花容月態 ② 鶴首苦待
③ 萬花芳草 ④ 江湖之樂

15 ㉠과 ㉡을 비교한 내용으로 적절하지 않은 것은?

> ㉠ 관세란 수입되는 재화에 부과되는 조세로, 국내 산업 보호나 조세 수입 증대를 목적으로 부과하는 것이다. 관세 부과는 국내 경기 및 국제 교역에 영향을 미친다. 경제학의 수요와 공급 원리에 따르면 관세를 부과하면 재화의 가격이 상승하므로 생산자 잉여는 늘어나는 반면 소비자 잉여는 줄어든다. 하지만 늘어난 생산자 잉여보다 줄어든 소비자 잉여가 더 크기 때문에 관세 부과는 자국의 경기에 부정적인 영향을 끼치게 된다. 또한 관세 정책이 장기화되면, 관세가 부과된 수입품을 원료로 하는 국내 제품의 가격 상승으로 이어져 이에 대한 소비가 줄어들고 결국 국내 경기가 침체될 수도 있다. 관세를 부과하면 국내 소비와 국제 교역을 감소시켜 국제 무역 시장을 침체시킬 수도 있다.
>
> 한편, ㉡ 수입 할당제는 특정 재화를 수입할 수 있는 양을 제한하여 그 할당량까지는 자유무역 상태에서 수입하고, 해당 기간 동안 할당량이 채워지면 수입을 전면적으로 금지하는 비관세 정책이다. 수입 할당제는 수입되는 재화의 양을 제한함으로써 그 재화의 국내 가격을 자연적으로 상승시켜 국내 생산자를 보호하는 기능을 한다.

① ㉠과 ㉡ 모두 국제 무역 규모를 감소시킬 수 있다.
② ㉠과 달리 ㉡은 재화의 수입으로 인한 조세가 없어진다.
③ ㉡과 달리 ㉠은 국내 생산자와 소비자를 모두 보호한다.
④ ㉠이 장기화되면 국내 경기 침체를 일으킬 위험이 있다.

16 다음 자연스러운 글의 전개 순서로 적절한 것은?

> 환원주의자인 네이글은 환원의 '표준 모형'을 제시하여 통합 과학의 토대를 마련하고자 하였다.
>
> ㄱ. 그에 따르면 'X가 Y를 환원한다.'는 것은 한 이론 X가 다른 이론 Y를 연역적으로 도출하는 것을 말하며, 이는 '연결 가능성'과 '도출 가능성'의 조건이 만족될 때 성립한다.
> ㄴ. 그에 따라 네이글은 교량 법칙의 필요성을 주장하며, 교량 법칙에 의해 연결 가능성이 확보될 경우 환원하는 이론이 환원되는 이론의 법칙들을 충분히 설명할 수 있을 것이라고 생각했다.
> ㄷ. 연결 가능성이란 X와 Y에 포함되어 있는 용어 간에 의미가 불변하는 대응이 성립해야 함을 의미하고, 도출 가능성이란 환원하는 이론 X의 법칙이 환원되는 이론 Y의 법칙을 연역적으로 도출해야 함을 의미한다.
> ㄹ. 그런데 화학과 물리학처럼 환원하려는 두 이론에서 사용되는 용어와 법칙이 서로 다른 경우에는 그 사이를 이어 주는 '다리'가 필요하다.
> ㅁ. 가령 물리학이 화학을 환원하려면, 화학의 모든 용어들이 물리학의 용어들로 설명되고, 화학의 법칙들이 물리학의 법칙들로부터 연역적으로 도출될 수 있어야 한다는 것이다.

① ㄱ – ㄴ – ㄷ – ㅁ – ㄹ
② ㄱ – ㄷ – ㅁ – ㄹ – ㄴ
③ ㄴ – ㄱ – ㄷ – ㄴ – ㄹ
④ ㄴ – ㅁ – ㄹ – ㄴ – ㄱ

17 ㉠~㉣과 관련한 인물의 심리로 적절하지 않은 것은?

[앞부분의 줄거리] 방관주는 여자로 태어났지만 어려서부터 남자로 행세하며 입신양명한다. 한편 영혜빙은 남편에게 구속받는 삶이 싫어 결혼하지 않으려다가, 방관주와 평생지기가 되어 부부로 행세하기로 약속한다. 이후 부부는 우연히 갓난아기를 얻어 이름을 낙성으로 짓고 아들로 삼는다. 방관주는 오랑캐를 무찌르고 돌아와 승상이 된다.

임금께서 ㉠ 웃으시며 손수 쓰신 책 두 권과 황금으로 된 서진 한 쌍, 그리고 칠보로 장식한 통천관을 내려 주시니, 승상이 머리를 조아려 은혜에 감사를 표하고 물러 나왔다. 임금께서는 즉시 장인을 불러 승상의 글로 금자 병풍을 만들어 침전에 치게 하시고, 볼 때마다 승상의 뛰어난 재주를 칭찬하셨다. 승상이 집으로 돌아와 부인에게 있었던 일을 이야기하고, 낙성을 불러 천자께 하사받은 책과 서진을 주면서 말했다. / "내가 임금께 얻은 것을 네게 전하노라."

낙성은 크게 기뻐하며 두 손으로 공손하게 책과 서진을 받아 들고 물러났다. 낙성이 물러간 후 승상이 통천관을 쓰는데, 부인이 쌀쌀맞게 ㉡ 웃으면서 말했다.

"폐하께서 군자에게 상급하신 것을 아들과 그대는 나누어 가지되, 어찌하여 첩에게는 아무것도 주지 않나이까?"

승상이 ㉢ 웃으면서 말했다.

"이것들은 모두 부인에게 쓸모없는 것이기에 주지 않았을 뿐이오. 하나 부인이 몸에 걸치고 있는 것이 모두 내게서 나온 것이니, 그것만으로도 충분히 넉넉하다 할 것이오. 그런데도 이리 투정하시니 부인의 욕심이 지나치게 심하구려."

부인이 가만히 웃으면서 말했다.

"나에게 쓸모없는 것이 어찌 유독 그대에게만 쓸모가 있겠소? 그런데도 굳이 이렇게 쾌활한 척하십니까?"

승상이 웃던 얼굴을 찡그리고 흥이 사그라들어 말했다.

"부인은 더 이상 그런 말을 들먹이지 마오. 지금 사람들은 나를 어엿한 관료라 생각할지언정 그중에 특별히 의심하는 사람을 보지 못했소이다." / 부인이 가만히 ㉣ 웃기만 했다.

— 작자 미상, 〈방한림전〉 —

① ㉠은 왕이 승상의 재주에 대한 만족감을 드러낸 것이다.
② ㉡은 부인이 방관주의 행동을 못마땅해 하는 것이다.
③ ㉢은 승상이 영혜빙의 말도 일리가 있다고 여긴 것이다.
④ ㉣은 부인이 방관주의 생각에 동의하지 않는 것이다.

18 (가)와 (나)를 비교한 내용으로 적절하지 않은 것은?

(가) 꿈에나 임을 보려 잠을 자려고 누웠더니,
새벽 달 지새도록 두견새 소리 어이하리.
두어라, 애끊는 마음이 너와 내가 다르지 않구나.

(나) 져근덧 녁진(力盡)하여 픗잠을 잠간 드니,
졍셩(情誠)이 지극하야 꿈의 님을 보니
옥(玉)가튼 얼굴이 반(半)이나마 늘거셰라.
마음의 머근 말삼 슬카장 삶쟈 하니
눈믈이 바라 나니 말인들 어이하며
졍(情)을 못다하야 목이 조차 몌여하니
오뎐된 계셩(鷄聲)의 잠은 엇디 깨돗던고.

① (가)와 (나) 모두 임에 대한 그리움이 드러나고 있다.
② (가)와 달리 (나)에서는 임의 모습이 묘사되고 있다.
③ (가)와 (나) 모두 감정 이입의 대상이 나타나고 있다.
④ (나)와 달리 (가)에서는 꿈에서 임을 만나지 못했다.

19 다음 작품에 대한 설명으로 적절하지 않은 것은?

황제: 가만있으시오. 점괘를 얻어 봅시다.
(황제, 꽃병에 국화꽃을 던진다. 꽃병 밖에 떨어진다.)
황제: 옳지! 일본 당국의 판단이 옳다고 봐야겠구먼……. 고무라 주따루 외무대신에게 하야시 공사를 통해 진상품에 대한 감사의 서신을 보내 주기 바라오.
윤치호: 즉시 조치하겠사옵니다, 전하…….
황제: 한 가지…… 멕시코에 우리 외무성의 관리를 파견하는 방법은 어떻게 생각하고 있소?
윤치호: 이미 일본과 멕시코 간에는 서로 공사가 상주하고 있는 실정인바 조선의 관리가 멕시코에 상주하는 것은 일본 당국에서는 바람직하지 못하다고 생각하고 있사옵니다.
황제: 그것도 일본의 뜻에 따라야 하는가?
궁녀: 전하, 러시아의 세력을 약화시킨 일본의 공적을 인정하셔야 하옵니다.
황제: 그래, 그대 판단도 옳다…….
궁녀: 우리 모두의 판단이 전부 옳습니다, 전하……. (웃음)
(황제, 국화꽃을 화병에 던져 넣는다. 순간 애니깽[1]자르는 소리가 들려온다. 무대 어두워진다.)
소리: 4년의 세월이 흐른다. 가죽 채찍과 애니깽 가시, 그리고 땡볕과 독사와 열대병으로 1,034명의 조선 사람 중 상당수가 죽어서 애니깽 밭고랑에 암매장되었다. 그들은 조선으로부터 멀어져 갔다. 그러나 그들의 가슴속에는 조선에 대한 향수만 더욱 짙어져 갔다. 시도 때도 없는 애니깽 농사는 조선 사람들에겐 지옥이었고, 멕시코 사람들에겐 황금의 수확이었다.
(무대 밝아지면 광활한 애니깽 농장, 지평선까지 가시 돋친 애니깽이 펼쳐져 있다. 멕시코의 민요 <제비>[2]가 그들의 민속 악기에 반주되어 들려온다. 한우의 가족과 강쇠, 철구, 멕시코 농부 복장으로 검게 그을린 메마른 피부색을 노출시킨 채 작두형 칼로 애니깽 잎을 자르며 전진한다.)

– 김상열, 〈애니깽〉 –

[어휘 풀이]
1) 애니깽: 선인장의 일종으로, 멕시코 유카탄 반도의 특산물
2) 〈제비〉: 고국으로 돌아가고 싶은 애환을 담은 멕시코 민요

① 일본 당국의 눈치를 보는 무능력한 황제를 묘사하였다.
② 민요를 통해 등장인물의 심리를 간접적으로 드러낸다.
③ 황실과 농장의 모습을 대조하여 비극성을 강조하고 있다.
④ 윤치호와 궁녀는 공사 파견에 대해 의견 차이가 있다.

20 다음 기행문의 초고에 반영되지 않은 작문 계획은?

이번 답사지는 군산이다. 답사 준비를 하면서 군산이 채만식 소설 『탁류』의 배경이자, 우리나라 근현대사에서 정말 의미 있는 장소라는 것을 알게 되었다. 봄비가 내리는 날 기차를 타고 군산으로 이동했다. 첫 답사 장소인 채만식 문학관으로 가는 거리의 풍경은 낯설었다. 바둑판 모양의 길과 일본식 가옥은 일제강점기에 온 듯한 느낌을 주었다.

채만식 문학관은 군산 내항 근처 금강이 바로 내려다보이는 곳에 있었다. 작가의 삶의 흔적을 따라가며 관련 자료들을 둘러봤다. 무엇보다 『탁류』의 내용을 원고지에 필사해 보는 체험이 가장 기억에 남는다. 다시 차를 타고 금강을 따라 이동해 군산 내항에 도착했다. 일제 강점기 당시 우리나라 최대의 곡창 지대인 호남평야의 쌀이 집결되는 군산에서 그 쌀을 수탈해 갔다고 한다. 역사의 수탈 현장에서 도도히 흐르는 물결을 바라보며 무거운 마음을 추슬렀다.

두 번째 답사 장소인 군산항에서는 금강이 바다와 만나 혼탁해진 물빛을 바라보며 『탁류』 속 인물들을 떠올렸다. 흐린 강물 같은 일제 강점기 삶의 질곡이 피부로 느껴졌다.

① 군산을 답사지로 택한 구체적인 이유를 밝힌다.
② 출발부터 군산에 도착하기까지의 여정을 제시한다.
③ 군산의 채만식 문학관에서의 체험을 서술한다.
④ 군산항에서 금강을 바라보며 느낀 감상을 드러낸다.

제8회 국어 모의고사

01 다음의 표준어 규정에 해당하지 않는 예시는?

> 제26항 한 가지 의미를 나타내는 형태 몇 가지가 널리 쓰이며 표준어 규정에 맞으면, 그 모두를 표준어로 삼는다.

① 넝쿨/덩쿨/덩굴
② 가엾은/가여운
③ 일찌감치/일찌거니
④ 여태껏/이제껏/입때껏

02 밑줄 친 말의 품사가 같은 것으로만 묶은 것은?

> 아무리 길눈이 ㉠ 밝은 사람이라도 날이 ㉡ 밝아 오기 전에 산길을 나서는 것은 위험하다. 이제 겨울이라 땅은 점차 단단하게 ㉢ 굳어 산행이 더욱 힘들어졌지만, 등반을 성공하겠다는 그의 ㉣ 굳은 결심은 꺾이지 않았다. 사람들은 ㉤ 있는 집 자손인 그가 이런 험한 곳에 왜 ㉥ 있는 것인지 궁금해 했다.

① ㉠, ㉢, ㉥　　② ㉠, ㉣, ㉤
③ ㉡, ㉢, ㉤　　④ ㉡, ㉣, ㉥

03 다음 밑줄 친 대명사에 대한 설명으로 적절한 것은?

> 가: 이 맛있는 장아찌는 ㉠ 어디에서 산 거예요?
> 나: ㉡ 어디에서나 흔하게 먹을 수 있는 맛은 아니죠?
> 할머니께서 ㉢ 당신이 손수 장아찌를 담가서 주셨어요.
> 가: 와! ㉣ 저희도 다음에 배워 두면 좋을 것 같아요.

① ㉠: 정해지지 않은 대상을 가리키는 부정칭 대명사
② ㉡: 가리키는 대상을 알지 못할 때 쓰는 미지칭 대명사
③ ㉢: 상대방을 높여 부르는 2인칭 대명사
④ ㉣: 화자·청자를 포함한 일인칭 대명사의 겸양 표현

04 밑줄 친 부분 중 불규칙 활용하는 경우가 아닌 것은?

① 기계에 전류가 흘러 감전 사고가 날 뻔했다.
② 옷감이 너무 새하얘서 눈이 부실 정도였다.
③ 동생은 강의실에 잠시 들르러 학교 앞에서 내렸다.
④ 나는 자정에 이르러서 겨우 목적지에 도착할 수 있었다.

05 다음 중 단어의 쓰임이 올바르지 않은 것은?

① 비치다: 밝은 달이 강물을 비치고 있다.
　비추다: 따스한 빛이 창문으로 비추고 있었다.
② 다리다: 내일 입을 바지를 다려 걸어 두었다.
　달이다: 그때 딴 찻잎으로 차를 달여 마셨다.
③ 받히다: 가로등이 큰 트럭에 받혀 휘어졌다.
　받치다: 맨바닥에서는 등이 받쳐 잠이 오지 않는다.
④ 배다: 벼 포기에 이삭이 벌써 배었다.
　베다: 울창한 숲의 나무를 베었다.

06 다음 문장들의 순서를 적절하게 배열한 것은?

㉠ 미래학자들은 인공 초지능이 등장하면 모든 면에서 인간을 뛰어넘는 능력을 가지고 있기 때문에 이를 제어할 방법이 없을 것으로 전망한다.
㉡ 다만 스스로 프로그램을 수정하고 성능을 향상시키는 작업을 지속적으로 수행할 수 있는 인공 일반 지능이 출현하게 된다면, 지능 폭발에 의해 갑자기 인공 초지능(ASI)이 등장할 것으로 예측되고 있다.
㉢ 이보다 더 진화한 인공 일반 지능(AGI)은 대부분의 영역에서 인간 수준의 성능을 갖춘 인공 지능으로, 그 출현 가능성과 시기를 예측하지 못하고 있다.
㉣ 따라서 인공 지능의 통제와 관련한 다양한 시나리오를 설정하고 다각적인 검토와 연구를 즉각 시작할 것을 촉구하고 있다.
㉤ 머신 러닝은 시스템이 경험을 통해 스스로 개선할 수 있게 하는 컴퓨터 알고리즘으로 인공 지능(AI) 분야 중 협의의 인공 지능(ANI)에 속한다.

① ㉠ – ㉣ – ㉤ – ㉢ – ㉡
② ㉠ – ㉤ – ㉡ – ㉣ – ㉢
③ ㉤ – ㉡ – ㉠ – ㉢ – ㉣
④ ㉤ – ㉢ – ㉡ – ㉠ – ㉣

07 사회자의 말하기 방식에 대한 설명으로 적절한 것은?

사회자: 이번 행사에 대해 소개 좀 해주시겠어요?
주최자: 벌써 다섯 번째 개최되는 독서 캠프인데요. 특별히 올해는 '독서 캠프 공식 누리집'을 활용하여 예년보다 많은 분들의 참여가 가능해졌습니다.
사회자: 누리집을 활용한 독서 캠프를 개최한다고 하셨는데, 구체적인 진행 방식은 어떻게 되나요?
주최자: 우선 함께 읽고 싶은 책을 누리집에 소개하고, 조원이 모집되면 한 조를 이루어 미리 책을 읽습니다. 온라인에서는 토론의 주제나 방향을 정하고, 독서 캠프에서 실제로 만나 토론하는 방식으로 진행됩니다.
사회자: 온라인에서 토론 그룹을 형성하여 사전 모임을 갖고, 독서 캠프에서는 실제로 토론을 진행하는 방식이군요. 온라인은 참여했지만, 행사에 참석하지 못하는 경우는 어떻게 되나요?
주최자: 행사가 끝나면 각 조의 토론의 내용을 정리하여 누리집에 게시할 예정입니다. 독서 캠프 행사에 참석하지 못한 분들의 의견도 함께 나눌 수 있어서 한층 더 무르익은 토론이 가능할 것이라 기대하고 있습니다.

① 상대의 대답을 요약 제시하고, 추가 정보를 요구한다.
② 상대의 답변 내용에 관한 구체적 사례를 요구한다.
③ 예상되는 문제점을 질문하며 자신의 의견을 덧붙인다.
④ 상대가 제시한 정보의 의미를 파악하여, 자신의 이해가 맞는지 확인한다.

08 다음 글을 작성할 때에 고려했을 법한 내용이 아닌 것은?

> 연극 '뿌리 깊은 나무'
>
> 자신이 사랑하는 백성들에게, 그들의 말을 담을 수 있는 완벽한 글자를 선물해 주고 싶어 하는 왕이 있었습니다. 누구나 자신이 하고 싶은 말을 글로 쓸 수 있는 세상, 그는 그런 세상을 떠올리면 한없이 기뻤습니다. 그는 '이도'입니다.
>
> 그리고 그만큼이나 백성을 사랑했던, 그래서 그에게 대항했던 또 한 사람이 있었습니다. 그는 백성을 위해 이도의 글자가 세상에 나오는 것을 막고 싶었습니다. 이도의 글자가 나라를 파국으로 이끌 것이라 생각했습니다. 누구나 글을 쓸 수 있는 세상이 되면, 오히려 백성들의 삶은 더 고통스러울 뿐이라고 보았습니다. 그는 이도의 글자가 쓰이는 세상이 올까봐 두려웠습니다. 그의 이름은 '정기준'입니다.
>
> 서로의 반대편에 있었지만 백성을 지극히 사랑하는 마음만은 같았던 두 사람의 고민이 무대 위에서 펼쳐집니다.
>
> 일시 : ○월 ○일 ○시
> 장소 : 학생관 5층 연극 동아리실

① 작품 속 인물들의 이름을 인상적으로 제시해야겠어.
② 작품 속 인물들에 대한 후세의 평가를 덧붙여야겠어.
③ 공연 일시와 장소는 최대한 간결하게 작성해야겠어.
④ 동일 대상에 대한 인물들의 입장 차이가 드러나도록 해야겠어.

09 다음 글의 중심 화제로 가장 적절한 것은?

> 겔렌에 따르면 인간은 동물들과 달리 보호 기관이나 공격 기관이 약하고, 감각 능력도 떨어진다. 이런 결핍을 보완하기 위해 인간이 자연을 변형한 결과가 바로 문화라고 보았다. 공동체적 삶을 위해서는 공격 욕구와 같은 본능을 인간의 조건에 맞게 변형시킬 필요가 있는 것이다.
>
> 겔렌은 스포츠 문화가 공격 욕구의 인위적 조절 과정에서 생성된 문화로 본다. 먼저 원시 사회에서는 부족 간 전쟁이 공격 욕구 해소의 기회였는데, 평화의 정착으로 인해 부족 간 전쟁에서 욕구 해소를 위한 사냥으로 방식이 바뀌었다.
>
> 다음으로 종교와 윤리가 발달한 중세에는 사냥에 대한 부정적인 견해로 사냥의 주체를 인간에서 동물로 교체하는 방식이 고안됐다. 공격 욕구 해소는 직접 하는 것에서 추격이나 관람하는 행위로 전이됐으며 쾌락의 강도는 약화되었다.
>
> 마지막으로 근대에 들어서면서 동물들도 인간처럼 생존권과 행복권을 지닌 존재로 보는 관점이 생겨났다. 이때 동물 대신 공격 욕구의 해소 대상으로 과녁, 골대와 같은 상징적인 사냥감이 등장했다. 이와 함께 전쟁이나 사냥에 동원되었던 활, 사냥개는 공으로 변화하였으며 인간이 느끼는 쾌락의 강도 역시 더욱 약화되었다. 결국 스포츠 문화는 인간의 공격 욕구 해소 방식이 상징적으로 진화한 결과이다.

① 인간 공격 욕구 변화에 따른 문명 발전의 역사
② 자연적 존재로부터 사회적 존재로의 발전 과정
③ 겔렌의 문화 개념으로 본 스포츠 문화의 형성 과정
④ 사회공동체 유지에 기여하는 스포츠 문화의 기능

10 다음 글의 내용과 일치하지 않는 것은?

노자는 실재가 개념보다 우선한다는 관점을 토대로 명(名)을 비판했다. 개념이나 이름으로 구분되기 이전의 상태인 도(道)는 사람들의 인식 이전부터 있어 온 실재에 해당한다. 반면 사회에서 통용되는 명이라는 것은 인위적으로 붙인 개념에 불과하므로 있는 그대로의 실재를 나타내지 못한다는 한계를 지닌다. 또한 명은 유가에서 말하는 사회적 신분과 역할, 덕목이라는 뜻도 포함하는데, 이것이 사회적 혼란의 원인이라고 보았다. '무엇다움'이라는 덕목은 현실에서 이상적 목표가 아닌 개인의 욕망을 위한 수단으로 변질되기 때문이다. 군주는 권력 유지를 위해 신하에게 신하다움을 강요하고, 신하는 군주의 권력 견제를 위해 군주에게 군주다움을 요구하는 것이 그 예이다. 이 같은 문제의식을 바탕으로 명에 의해 세워진 기존 사회 질서를 비판했다.

노자는 나아가 사회 혼란을 해소하기 위한 정치적 대안으로 성인이 다스리며, 예법이 없고, 최소한의 제도만으로 유지되는 소규모 공동체를 제시하였다. 개념의 속박을 최대한 피하기 위해 노자는 '성인의 통치'가 인(仁)한 것도, 덕(德)스러운 것도, 예(禮)를 갖추는 것도 아니라고 부정의 방식으로 설명하였다. 이러한 설명은 기존의 성인다움에 대한 관념을 하나하나 부정해 나감으로써 일체의 무엇다움이 사라진 성인의 통치를 드러내기 위한 방법이다. 그의 이상향은 이름이 지닌 속박으로부터 자유로운 곳이기 때문이다.

① 노자는 '도(道)'가 '명(名)'보다 우선한다고 보았다.
② 노자는 왕이 백성을 위해 신하에게 신하다움을 강요한다고 하였다.
③ 노자는 무엇다움이 사라진 '성인의 통치'를 드러내기 위해 부정의 설명 방식을 사용한다.
④ 노자는 명에 의해 세워진 기존 사회 질서를 비판하며 소규모 공동체를 대안으로 제시하였다.

11 (가)와 (나)의 표현상의 특징으로 적절하지 않은 것은?

(가) 경경(耿耿) 고침샹(孤枕上)애 어느 ᄌᆞ미 오리오
셔창(西窓)을 여러ᄒᆞ니 도화(桃花)ㅣ 발(發)ᄒᆞ도다
도화(桃花)ᄂᆞᆫ 시름 업서 쇼츈풍(笑春風)ᄒᆞᄂᆞ다 쇼츈풍(笑春風)ᄒᆞᄂᆞ다
− 고려가요 〈만전춘별사〉 제2수 −

(나) 방(房) 안에 혓ᄂᆞᆫ 촉(燭)불 눌과 이별(離別)ᄒᆞ엿관ᄃᆡ,
것흐로 눈물 디고 속타ᄂᆞᆫ 줄 모로ᄂᆞᆫ고.
우리도 뎌 촉(燭)불 갓ᄒᆞ야 속타ᄂᆞᆫ 줄 모르노라.
− 이개의 시조 −

① (가)는 설의법과 반복을 통해 의미를 강조한다.
② (나)에는 화자가 작품 표면에 드러나고 있다.
③ (가), (나) 모두 4음보 율격으로 이루어져 있다.
④ (가), (나) 모두 감정 이입의 대상이 나타난다.

12 밑줄 친 단어와 바꿔 쓸 수 있는 한자어로 가장 적절한 것은?

경제 주체는 최대 만족을 위해 노동 공급으로 얻는 소득과 잃게 되는 ㉠ 여가의 양을 조절해 노동 공급량을 결정한다고 보는 것이다. 따라서 소비자가 최대의 ㉡ 만족을 위해 상품 소비량을 ㉢ 예산 내에서 결정하는 것과 유사하다.

그러나 상품 소비의 선택과 노동 공급의 선택 사이에는 차이점도 있다. 여가는 상품과는 다르므로 여가의 가격을 어떤 수준으로 ㉣ 책정할 것인가라는 문제가 생긴다.

① ㉠: 輿駕
② ㉡: 萬足
③ ㉢: 豫算
④ ㉣: 責定

13 다음의 지시하는 인물이 다른 하나는?

[앞부분의 줄거리] 중국의 황제가 신라 문인들의 실력을 시험하고자 달걀이 든 상자를 보내 그것을 열지 않고 내용물을 맞히라고 한다. 승상은 왕의 명을 받았으나 이를 해결하지 못한다. 최치원은 승상의 딸 운영(나 씨)과 혼인 조건으로, 상자 속에 든 것을 소재로 시를 짓는다.

왕은 사신으로 하여금 대국 황제께 바치었다. 황제가 보시고 말씀하시기를, "둥글고 둥근 함 속의 물건은 반은 희고 반은 황금임은 맞는 구이나, 밤마다 때를 알아 울려고 하건만 뜻만 머금을 뿐 소리를 토하지 못함이라 한 것은 잘못이로다."

하고 함을 열고 달걀을 보시니 여러 날 따뜻한 솜 속에서 병아리로 되어 있으매 황제가 탄복하면서 말하기를,

"천하의 기재(奇才)로다." 하시고 학사를 불러 보이시니, 학사 또한 칭찬하여 마지않더니 이윽고 아뢰기를,

"(중략) 오직 걱정되는 것은 소국이 대국을 멸시할 단서가 될까 하오니 바라옵건대 ㉠ 시 지은 자를 불러 어려운 문제를 능히 풀어낸 사유를 물으심이 좋을까 하나이다."

황제께서 옳게 여기시고 신라에 시 지은 기사(奇士)를 보내도록 지시하니 신라왕이 놀래시어 승상을 불러 의논하시고 말씀하시기를, "천자가 우리나라를 침공하고자 하여 또 시 지은 선비를 부르니, 경의 ㉡ 서랑(婿郞)은 나이가 어려 만 리 밖에 보내기가 어려우니 경이 가는 것이 어떠하오?"

하시니 승상이, "원하옵건대 평안하소서." 하고 전교를 받아 집으로 돌아와 울면서 집안사람들에게 말하기를,

"중국 천자가 시 지은 선비를 보내라니 ㉢ 최랑은 어려서 보낼 수 없고 내가 대신 가야 하니 살아 돌아올 계교 없으므로 어찌할꼬?" 하니 온 집안이 통곡하고 어찌할 바를 모르더라.

나 씨가 최랑에게 말하기를, "천자가 시 지은 선비를 부르는데 아버님께서 대신 가신다하나 만 리 장도에 돌아오시기가 어려울 뿐만 아니라 반드시 화를 입으실 것이오니 부녀간 정의에 측은함을 참지 못하겠나이다." 하니 최랑이,

"승상께서 대신 가실 수 없소. 응당 내가 가야 하오."

하니 운영이 말하였다.

"이제 당신이 ㉣ 나를 버리고 만 리 밖에 가시면 어찌 능히 평안히 돌아올 수 있겠나이까?"

– 작자 미상, 〈최고운전〉 –

① ㉠ ② ㉡
③ ㉢ ④ ㉣

14 어법에 어긋난 문장을 수정하고 설명한 예로 적절하지 않은 것은?

① 모름지기 자신의 삶을 꾸준히 성찰해야 한다.
→ 부사어 '모름지기'와 서술어 '성찰해야 한다'는 호응하지 않으므로 '성찰하는 것은 필요합니다.'로 바꾼다.

② 그 땅은 농사를 짓기도 하고 적합하기도 하다.
→ 서술어 '적합하다'는 목적어 '농사를'과 호응하지 않으므로 '농사를 짓기에 적합하기도 하다'와 같이 바꾼다.

③ 만 점을 받으려면, 철저한 복습이 절대로 필요합니다.
→ '절대로'는 '어떤 일이 있어도 반드시'라는 의미로서, 긍정문에 쓰이는 사례도 있으므로 이 문장은 고칠 것이 없다.

④ 그 팀이 잘되는 이유는 조직이 잘 짜여져 있기 때문이다.
→ '짜여져'는 이중 피동이므로 불필요하기 때문에 '짜여'로 고쳐야 한다.

15 발표의 마무리를 조건에 맞게 작성할 때 적절한 것은?

> 올해 동아리 체험전의 주제는 '플라스틱과 환경 문제'입니다. CNN의 보도에 의하면 한국의 1인당 연간 플라스틱 소비량은 2015년 기준 132kg인 만큼 이 문제에 대한 사회적 관심도 높아지고 있습니다. 이번 동아리 체험전은 사회적 문제 해결에 직접 참여할 수 있는 좋은 기회가 될 것입니다.
>
> <조건>
>
> 1. 이번 동아리 체험전의 의의를 강조
> 2. 설의적 표현을 사용하여 실천의 의미를 강조

① 이제는 아는 것을 넘어서 하나씩 실천해야 할 때입니다. 동아리 체험전을 통해 우리가 환경을 위해 할 수 있는 일은 무엇일까요?

② 동아리 체험전은 우리가 주체적으로 참여하는 행사라는 점에서 의미가 있습니다. 스스로 체험전의 주인이라 생각하고 적극적으로 참여하면 보람이 더 클 것입니다.

③ 이번 동아리 체험전은 환경 문제를 해결하기 위한 실천의 첫걸음이 될 것입니다. 우리의 생각이 실천으로 바뀔 때 환경 문제도 조금씩 해결될 수 있지 않을까요?

④ 환경 문제에 대한 관심이 동아리 체험전을 통해 한층 깊어지길 바랍니다. 다함께 이번 체험전의 주제를 외치며 행사를 시작해 볼까요?

16 다음 글의 서술 방식으로 적절하지 않은 것은?

> 대기 중에서의 빛의 색채에 대한 과학 분야의 논의는 17세기 뉴턴에 의해 본격적으로 시작됐다. 그는 대기 중에 있는 구형 물방울에 의해 빛이 굴절되고 푸른색이 생긴다고 생각했다. 이와 달리, 19세기의 과학자 클라우지우스는 수학적 계산을 통해 대기 상층부에 물방울 기포가 존재하고 빛이 이것에 굴절, 반사되어 하늘이 푸른빛을 낸다고 봤다. 하지만 이후 다른 과학자들의 비눗방울 실험에 의해 대기 상층부의 물방울에 기포가 생성될 수 없음이 증명됐다.
>
> 한편 1868년 틴들에 의해 대기 중에 부유하는 입자들인 미립자의 산란에 의해 하늘이 푸른색으로 보인다는 것이 밝혀졌다. 틴들은 부틸 질산염을 이용해 구름을 형성시킨 후 태양 빛이 이를 통과할 때 푸른빛을 발산시킴을 확인했다. 이때 완전 편광된 빛이 발산되었는데, 이는 굴절과 반사 현상이 아닌 빛의 산란 현상에 의해서 설명될 수 있었다. 따라서 이러한 현상을 '틴들 효과'라고 부르게 되었다.
>
> 이후 레일리는 대기 중의 산소와 질소 분자에 의한 산란으로 푸른 하늘빛이 보이는 것을 실험으로 재현했다. 이것을 기반으로 그는 산란 이론을 정립하였다. 태양빛이 대기를 통과할 때 짧은 파장일수록 더 많이 산란되며, 사람의 눈은 파란색을 더 잘 감지하기 때문에 하늘이 푸르게 보이는 것이다. 푸른빛의 산란율은 붉은빛에 비해 6배가량 커서 우리가 보는 하늘에서는 푸른빛이 더욱 강해지는 것이다.

① 대기 색채에 대해 밝히려는 시도와 반증이 나타난다.

② 대기 색채를 관찰하는 기기의 사용 방법이 서술된다.

③ 대기 색채의 과학적 규명이 시대 흐름에 따라 나타난다.

④ 대기의 색채에 대해 밝힌 과학 실험적 사례가 제시된다.

17 다음 작품에 대한 설명으로 적절하지 않은 것은?

하늘에서 새 한 마리 깃들지 않는
내 영혼의 북가시나무[1]를
무슨 무슨 주의의 엿장수들이 가위질한 지도 오래되었다
이제 내 영혼의 북가시나무엔[1] / 가지도 없고 잎도 없다
있는 것은 흠집투성이 몸통뿐

허공은 나의 나라, 거기서는 더 해 입을 것도 의무도 없으니
죽었다 생각하고 사라진 신목의 향기 맡으며 밤을 보내고

깨어나면 다시 국도변에 서 있는 내 영혼의 북가시나무
귀 있는 바람은 들었으리라
원치 않는 깃발과 플래카드들이
내 앙상한 몸통에 매달려 나부끼는 소리
그 뒤에 내 영혼이 소리 죽여 울고 있는 소리를

봄기운에 / 대장간의 낫이 시퍼런 생기를 띠고
톱니들이 갈수록 뾰족하게 빛이 나니
살벌한 몸통으로 서서 반역하는 내 영혼의 북가시나무여

잎사귀 달린 시를, 과일을 나눠 주는 시를
언젠가 나는 쓸 수도 있으리라 초록과 금빛의
향기를 뿌리는 시를
하늘에서 새 한 마리 깃들어 / 지저귀지 않아도

― 최승호, 〈내 영혼의 북가시나무〉 ―

[어휘 풀이]
1) 북가시나무 : 붉가시나무, 참나뭇과의 상록 활엽 교목으로, 목재의 빛깔이 붉음.

① 부정적 상황으로 인해 상처받은 모습이 형상화되고 있다.
② 화자는 이상 세계와 현실의 대비로 고통스러워하고 있다.
③ 자신의 영혼을 지키려는 화자의 대결 의지가 나타난다.
④ 부정적 현실이 변화할 것이라는 기대감을 드러내고 있다.

18 다음 작품의 화자와 관련이 먼 한자성어는?

한숨아 세한숨아 네 어ᄂᆡ 틈으로 드러온나
고모 장ᄌᆞ 세ᄉᆞᆯ 장ᄌᆞ 열 장ᄌᆞ에 암돌져귀 수돌져귀 비목걸ᄉᆡ ᄯᅮᆨ닥 박고 크나큰 ᄌᆞᆷ을쇠로 숙이숙이 ᄎᆞ엿ᄂᆞᆫ듸 병풍이라 덜걱 접고 족자ㅣ라 ᄃᆞᆨᄃᆡ골 말고, 녜 어ᄂᆡ 틈으로 드러온다.
어인지 너 온 날이면 ᄌᆞᆷ 못드러 ᄒᆞ노라.

① 輾轉反側
② 改過遷善
③ 千思萬慮
④ 寢不安席

19 ㉠과 ㉡에 대한 설명으로 적절하지 않은 것은?

사회학자인 고프먼은 도시 공공장소를 중심으로 현대인들의 대면적 상호 작용에 대해 연구하였다. 현대인들은 공공장소에서 타인의 자아의 전유 영역인 자아 영토에 대해 존중하는 규칙이 있으며, 이를 '성스러운 게임'이라 했다.

성스러운 게임은 ㉠ 초점 없는 상호 작용에서 보다 잘 나타난다. 초점이란 상호 작용 과정에서 공동으로 주의를 기울일 대상이나 화제를 말하는데 도시 공공장소에서는 낯선 사람들 간에 동일한 초점을 가질 필요가 없다. '몸 관용구'는 이런 상황의 상호 작용을 매개하는 옷차림, 태도, 얼굴 표정 등을 의미한다. 공공장소에서는 자신의 몸 관용구를 개방하여 낯선 사람들이 자신을 관찰, 접근할 수 있게 한다. 그러나 고프먼은 그 이면에는 낯선 타인과의 불필요한 만남을 피하려는 성향이 존재한다고 했다. 즉, 초점 없는 상호 작용에서의 성스러운 게임이 자아 영토에 대한 상호 접근 가능성을 최소화하려는 양상으로 나타난다고 본 것이다.

한편 ㉡ 초점 있는 상호 작용에서의 성스러운 게임은 이와는 상이한 양상으로 나타난다. 특정 화제에 대한 대화와 같은 대면적 상호 작용을 '조우'라 지칭하였다. 면식이 있는 사람 간에는 조우에 들어가기 위한 이유를 설명하지 않아도 되지만, 반대로 면식이 없는 사람 간에는 합당한 이유를 설명할 필요가 있다. 이러한 상호 작용에서 사람들은 타인에게 보여 주기를 원하는 긍정적인 속성의 사회적 자아 이미지인 '공안'을 지닌다. 두 경우 모두 일단 조우에 들어서면 도덕적 책임감을 바탕으로 서로의 공안을 보호할 의무를 다하며 사회 질서를 유지하는 성스러운 게임을 행한다.

① ㉠과 ㉡은 모두 낯선 타인과의 의사소통에 비개방적이다.
② ㉠과 달리 ㉡은 특정한 화제가 필요 없는 상호 작용이다.
③ ㉡과 달리 ㉠은 비언어적 신호로 상호 작용이 이루어진다.
④ ㉠의 '몸 관용구'는 상호 접근성을 최소화하려는 것이고, ㉡의 '공안'은 조우에 들어선 이들이 보호하려는 것이다.

20 작품의 서술 방식에 대한 이해로 적절하지 않은 것은?

B가 오늘 집행되는 수형(受刑)의 당사자라는 것을 알았을 때 나는 순간 — 그것은 참말 계량할 수 없는 눈 깜짝할 찰나였지만 — 복수의 만족감 같은 회심의 미소를 지을 뻔했던 것이다. B의 얼굴에 겹쳐 경희의 모습이 떠올랐다. 그러나 그것들이 다 어릴 때부터의 벗이던 순진하고 아름다운 정에 얽매인 인간의 모습이 아니라, 언젠가 가족 동반에서 만난 당황하는 표정들이 점점 혐오를 느끼게 하던 그런 모습들인 것이다.

나는 눈을 떴다. / 십 미터의 거리. 전방에는 B가 서 있다. 목사의 기도는 끝났다. 유언이 없느냐고 물었다. B는 고개를 가로저었다. 지금까지 한 번도 내 앞에서 졌다고 항복한 일이 없는 B다. 그렇게 서로 대결이 되는 경우는 늘 내가 양보하는 위치에 서게 되었었다. 오늘도 이 숨 가쁜 마지막 고비에서, B의 목숨을 앞에 놓고 B와 나는 여기 우리 둘이 한 번도 같이 와 본 적이 없는 눈 덮인 산골짜기에서 이렇게 대결하고 있는 것이다. 나를 알아보는 B의 눈은 조금도 경악의 표정은 없다. 일체의 체념이 나까지도 안중에 없게 하는가 보다. 그러면 나는 벌써 이 마지막 순간에도 이미 B에게 지고 있는 것이다. 만일 내가 이 자리에 사수로 나타나지만 않았다면 B는 무슨 말이든 한마디 남겼을는지도 모른다. 적어도 경희에게만은 무슨 마지막 당부의 한마디를 전하여 주고파 했을 것이 아닌가.

① 서술자가 자신의 내면 심리를 주관적으로 묘사한다.
② '나'는 과거 일로 인해 'B'에 대해 대결 의식을 품고 있다.
③ 공간적 배경을 자세히 묘사하여 사건 전개를 지연시킨다.
④ 간결한 문체를 사용해 심리를 속도감 있게 서술한다.

제9회 국어 모의고사

01 다음을 참고하여 표준 발음을 설명한 내용으로 적절한 것은?

> 구개음화는, 경구개가 아닌 위치에서 발음되는 자음이 형식 형태소인 단모음 'ㅣ'나 반모음 'ǐ' 앞에서 경구개음으로 바뀌는 동화 현상이다. 피동화음인 자음 'ㄷ, ㅌ'이 동화음 'ㅣ'나 반모음 'ǐ'가 경구개 부근에서 발음되는 속성을 닮아 'ㅈ, ㅊ'으로 발음되는 것이다.

① '같이[가치]'인 것은 동화음이 반모음 'ǐ'이기 때문이다.
② '곁을'을 [겨츨]로 잘못 발음하는 것은 동화음이 'ㅡ'이기 때문이다.
③ '맏이'를 [마디]로 발음하지 않는 것은 동화음이 없기 때문이다.
④ '밭일'을 [바칠]로 발음하지 않은 것은 '일'이 형식 형태소가 아니기 때문이다.

02 다음의 내용에 대한 이해로 적절하지 않은 것은?

> –음[1]「어미」
> ('ㄹ'을 제외한 받침 있는 용언의 어간이나 어미 '-었-', '-겠-' 뒤에 붙어) 그 말이 명사 구실을 하게 하는 어미
>
> –음[2]「접사」
> ('ㄹ'을 제외한 받침 있는 용언의 어간 뒤에 붙어) 명사를 만드는 접미사

① '-음[1]'이 붙은 말은 품사가 변하지 않는다.
② '-음[2]'가 붙은 말은 관형어의 수식을 받을 수 있다.
③ '-음[1]'은 '-음[2]'와 달리 뒤에 격조사가 올 수 있다.
④ '-음[2]'는 '-음[1]'과 달리 선어말 어미와 결합할 수 없다.

03 ㉠~㉣에 해당하는 예문으로 가장 적절하지 않은 것은?

> 사동문은 주어가 다른 대상을 동작하게 하거나 특정한 상태에 이르도록 하는 문장을 가리킨다. 파생적 사동문은 ㉠ 주동문의 어간을 어근으로 삼아 사동 접미사가 붙어 이루어진 문장이며, 통사적 사동문은 ㉡ 주동문의 어간에 '-게 하다'가 붙어서 이루어진 문장이다.
> 그러나 ㉢ 사동문으로 바꿀 수 없는 주동문도 있고, ㉣ 대응하는 주동문이 없는 사동문도 있다.

① ㉠: 시청에서 잘못된 표지판을 없앴다.
② ㉡: 형이 동생에게 물통을 가득 채우게 했다.
③ ㉢: 그는 달리기를 하다가 더위를 먹었다.
④ ㉣: 언론이 사건에 대한 진실을 숨겼다.

04 밑줄 친 부분의 띄어쓰기가 옳지 않은 것은?

① 이 도구는 가방을 만드는 데 쓰인다.
② 이번 주에는 계속 서류 검토를 할 거야.
③ 요즘 감기에 걸려서 공부가 잘 안 된다.
④ 그는 지은 죄가 큰바 마땅히 벌을 받아야 한다.

05 발음이 잘못된 것은?

① 외국의[외국의] 사례[사레]를 살펴보면 배울 점이 많다.
② 동생의[동생에] 의견[의견]은 묻지 않고 선물을 사왔다.
③ 통계[통 : 게]를 분석해 보니 꽤 희망적[히망적]이었다.
④ 머리를 크게 다쳐서[다처서] 구급차에 실려[실려] 갔다.

06 다음 발표에 대한 설명으로 적절하지 않은 것은?

지난 시간에 조리개의 원리를 살펴봤던 것에 이어 오늘은 스마트폰 카메라에서 수동 설정으로 빛의 양을 조절하는 방법인 셔터 속도 조절에 대해 설명하겠습니다. 셔터 속도를 빠르게 하면 셔터가 열렸다 닫히는 시간이 짧아지고, 렌즈를 통해 들어오는 빛의 양이 줄어듭니다. 다른 조건이 같다면 이렇게 찍은 사진은 상대적으로 어둡게 나오겠지요. 대신 움직이는 피사체의 순간적인 이미지를 포착할 수 있습니다. (자료1 제시) 피사체가 어떤 특징을 가지고 있나요? (고개를 끄덕이며) 피사체가 움직이고 있었습니다. 이 사진은 태양빛이 조명 역할을 하고 있어 밝기도 충분합니다.

반대로 셔터 속도가 느리면 어떻게 될까요? 네, 움직이는 피사체의 궤적을 담거나, 움직임을 흐릿하게 드러낼 수 있습니다. '움직임'의 효과를 사진에 주는 것이죠. 그런데 셔터 속도가 너무 느리면 빛의 노출이 과도할 수 있습니다. (자료2 제시) 이때는 조리개를 조절해 적절한 노출량을 찾아야 합니다. (자료3을 가리키며) 셔터 속도에 따라 조리개를 조절하면 전체 빛의 노출량을 비슷하게 만들 수 있습니다.

흔히 사진을 빛의 예술이라고 합니다. 동일한 피사체를 수동 설정에서 조리개와 셔터 속도를 다양하게 조절하면서 여러 장 찍어 보시기 바랍니다. 그러다 보면 적당한 빛의 노출량을 판단하는 눈도 길러질 것입니다. 오늘 발표는 여기까지입니다. 다음 동아리 시간에 뵙겠습니다.

① 다양한 시각 자료를 활용하여 청중의 이해를 돕는다.
② 청중에게 질문하고 반응을 확인하며 상호작용을 한다.
③ 비언어적 표현을 사용하며 발표를 진행하고 있다.
④ 지난 발표 내용을 요약하고, 다음 발표 내용을 예고한다.

07 밑줄 친 어휘의 한자 표기와 의미가 적절하지 않은 것은?

지도는 실제 공간에서 경험할 수 있는 다양한 면모를 누락시키면서 특정 목적을 달성하기 위해 공간을 표현한 것이다. 즉, 지도는 세계에 특정 의미를 부여할 수 있는 하나의 장치다. 따라서 지도는 문화적 산물로 간주할 수 있다. 공간 재현 논리는 우리가 사회적 공간을 지각하고 상상하는 방식을 규정한다. 지도와 같은 수단을 통해 사회적 및 정치적 실천에 잠재적 영향력을 행사하는 것이다.

① 漏落: 기입되어야 할 것이 기록에서 빠짐.
② 附與: 사물이나 일에 가치·의의 따위를 붙여줌.
③ 看做: 상태, 모양, 성질 따위가 그와 같다고 봄, 또는 그렇다고 여김.
④ 行吏: 부려서 씀, 권리의 내용을 실현함.

08 성찰적 글쓰기에 대해 설명한 것이 적절하지 않은 것은?

지금까지 나는 어떤 일이든 스스로의 힘으로 해내야 한다는 강박관념을 가지고 있었다. 이번 마라톤 대회의 출발선에 섰을 때도 마찬가지였다. 달리기야말로 혼자서 모든 것을 감당해야 하는 외로운 싸움이라는 생각을 하고 있었다. 초반에는 연습한대로 페이스 조절을 하며 흐트러짐 없이 달릴 수 있었다. 그러나 점차 호흡이 가빠지고 다리가 무거워질 무렵, 한 무리의 사람들을 만났다. 그들은 내게 힘들면 함께 달리자고 했고, 그들과 서로 발을 맞추어 격려하며 달리다 보니 피로는 어느새 사라지고 즐거움이 그 자리를 채우게 됐다. 그동안 누군가를 의지하지 않고 일을 해야만 의미가 있다고 생각했는데, 다른 사람들과 서로 의지하며 함께 했을 때 더 큰 성취감을 얻을 수 있다는 것을 깨달았다.

① 일상의 경험을 바탕으로 느낀 점을 서술하고 있다.
② 경험에서 깨달은 점을 실제 자신의 삶에 적용하고 있다.
③ 자신의 생각을 경험 전후로 대비하여 서술하고 있다.
④ 영향력을 미친 인물로 인한 감정 변화를 표현하고 있다.

09 다음 작품에 대한 이해로 적절하지 않은 것은?

> 달은 밝고 당신이 하도 기루었습니다.*
> 자던 옷을 고쳐 입고 뜰에 나와 퍼지르고 앉아서 달을 한참 보았습니다.
>
> 달은 차차차 당신의 얼굴이 되더니 넓은 이마 둥근 코 아름다운 수염이 역력히 보입니다.
> 간 해에는 당신의 얼굴이 달로 보이더니 오늘 밤에는 달이 당신의 얼굴이 됩니다.
>
> 당신의 얼굴이 달이기에 나의 얼굴도 달이 되었습니다.
> 나의 얼굴은 그믐달이 된 줄을 당신이 아십니까.
> 아아 당신의 얼굴이 달이기에 나의 얼굴도 달이 되었습니다.
>
> – 한용운, 〈달을 보며〉 –
>
> * 기루었습니다 : 그리웠습니다.

① 과거와 현재를 대비하여 재회에 대한 확신을 드러낸다.
② 시적 대상이 화자가 그리워하는 대상과 조응하고 있다.
③ 영탄적 표현을 사용하여 화자의 정서를 강조하고 있다.
④ 동일한 종결 어미를 반복하여 운율을 형성하고 있다.

10 다음 작품의 밑줄 친 구절과 가장 관련이 깊은 한자성어는?

> 놉흘시고 망고대 외로올샤 혈망봉이
> 하늘의 추미러 므스 일을 사로려
> <u>천만겁(千萬劫) 디나도록 구필 줄 모르느냐</u>
> 어와 너여이고, 너 가트니 또 잇는가

① 暗中摸索 ② 望雲之情
③ 磨斧爲針 ④ 獨也青青

11 이 글의 중심 내용으로 적절한 것은?

> 대작(代作)이란 작가가 일정한 대가를 받고 의뢰인을 위해 저작물을 작성하고 그 공표도 의뢰인 명의로 하는 것을 말한다. "저작자는 저작물을 창작한 자"라고 하는 저작권법상, 해당 저작물의 창작적 표현에 실질적으로 기여한 창작자만이 저작자의 지위를 취득한다. 따라서 대작의 경우 의뢰인은 저작자가 될 수 없지만, 대작 작가가 기계적 업무만 수행한 경우에는 의뢰인이 저작자로서의 지위를 가질 수 있다. 이러한 아이디어 · 표현 이분 원칙은 판례상 저작권 보호 범위를 판단하는 일반적 기준으로 인정되고 있다.
>
> 의뢰인의 명의를 표시하여 저작물을 판매한다는 것은 대작 작가가 성명 표시권을 포기한 셈이 된다. 현재 우리나라 저작권법상 성명 표시권은 저작 인격권 중의 하나로 '주체와의 관계가 매우 긴밀하여 다른 사람에게 귀속될 수 없는 권리'라는 점에서 일종의 모순이 발생한다. 우리나라는 창작자 원칙의 예외를 극히 제한적으로만 인정하므로 성명 표시권 문제를 해결하려면 별도의 입법 과정을 거쳐야 한다.
>
> 한편, 대작에 의한 허위 표시 저작자가 형법상 업무 방해죄로 처벌을 받을 수도 있다. 또한 저작권법상의 저작자 사칭 공표죄가 적용될 수도 있다. 이 규정의 취지는 허위로 표시된 저작자의 명의를 신뢰한 일반 공중의 신용을 보호함으로써 사회적 법익을 수호하려는 것이기 때문에, 설령 성명권자의 승낙이 있더라도 죄가 성립한다는 것이다.

① 대작 관행에 대한 규제의 필요성
② 저작물 대작에 관한 법적 쟁점들
③ 저작권법을 통해 본 대작 작가의 권리
④ 대작 계약과 사회적 법익의 관련성

12 다음에서 인터뷰에서 사용되지 않은 공손성의 원리는?

> 학생 : 안녕하세요? □□고 교지편집부 기자 ◇◇◇입니다. 가창력과 무대 매너를 두루 갖추신 가수님의 인터뷰를 직접 할 수 있어서 정말 영광입니다.
>
> 가수 : 이런 얘기 듣기에는 제가 아직 부족한 점이 많아요. 편안하게 선배라고 불러도 됩니다.
>
> 학생 : 감사합니다. 최근 선배님께서 진행하시는 프로젝트 '따로 또 같이' 공연에 대해 소개 부탁드리겠습니다.
>
> 가수 : '따로 또 같이'는 소통을 테마로 하는 온라인 공연이에요. 시간이나 장소에 구애받지 않고 관객들과 소통하며 공연 프로그램도 유연하게 진행하고요.
>
> 학생 : 네, 그렇군요. 죄송하지만, 제가 배경 지식이 부족해서 온라인 공연이라는 형식이 사실 감이 잡히지 않는데, 조금 더 자세한 설명 부탁드려도 될까요?
>
> 가수 : 물론이죠. 우선 관객들의 사연과 신청곡을 바탕으로 공연을 기획합니다. 개인 방송이 가능한 매체를 통해 공연을 하는 동안에는 관객들은 각자의 장소에서 실시간으로 함께 소통을 하며 공연을 더 풍성하게 만들어 가요. 그래서 '따로 또 같이' 공연인 것이지요.
>
> 학생 : 그런 의미가 있었군요. 설명해 주셔서 감사합니다.

① 관용의 격률 ② 찬동의 격률
③ 동의의 격률 ④ 겸양의 격률

13 다음 글의 ㉠ ~ ㉣을 고쳐 쓸 때 가장 적절하지 않은 것은?

> 우리나라의 농업 문화유산 중 하나인 '청산도 구들장 논'은 열악한 자연환경에 ㉠ 순종하는 과정에서 선조들의 지혜가 발휘된 과학 기술이다. 전라남도 완도군의 작은 섬 청산도는 벼농사에 적합하지 않아 계단식 논을 만드는 것으로는 ___㉡___ 해결할 수 없었다.
>
> 이를 해결하기 위해 청산도 농부들이 떠올린 것이 바로 구들장이다. ㉢ 구들장은 우리나라 전통 가옥에서 난방을 위해 방바닥 아래에 까는 얇은 돌판이다. 아궁이에 불을 때면 연기가 구들장 아래에 난 통로를 지나면서 방바닥을 데운다. 구들장 논도 이러한 얇은 돌판과 그 아래 통로가 핵심이다. 구들장 논의 가장 아래에는 자갈층이 있다. 그 위에 돌을 쌓아 석축을 20~50cm 높이로 만들고 여기에 바로 구들장을 ㉣ 얹힌다.

① 문맥을 고려하여 ㉠을 '적응하는'으로 수정한다.
② 필수적인 문장 성분이 빠져 있으므로 ㉡에 '문제를'을 추가한다.
③ 중심 내용과 관련이 없는 문장이므로 ㉢은 삭제한다.
④ 불필요한 피동 표현이므로 ㉣을 '얹는다.'로 수정한다.

14 **다음 작품의 서술상의 특징으로 적절하지 않은 것은?**

> 호왕이 황제 탄 말을 찔러 거꾸러치니 상이 땅에 떨어지거늘 호왕이 창으로 상의 가슴을 겨누며 꾸짖어 말하기를, “죽기를 서러워하거든 항서를 써 올리라.”/상이 대답하되,
> “지필이 없으니 무엇으로 항서를 쓰리요?”
> 호왕이 크게 소리하여 말하기를,
> “목숨을 아낄진대 용포를 떼고 손가락을 깨물라.”/하니
> “차마 아파 못할네라.”/소리 나는 줄 모르고 통곡하시니 용의 울음소리가 구천에 사무치는지라 하늘이 어찌 무심하리요?
> 이때 원수 장안으로 가 호왕을 찾으니 호왕은 없고 겸한이 삼군을 거느려 왔거늘 원수 분노하여 겸한을 한칼에 베고 제군에게 하령하기를,
> “이제 호왕이 나를 치우고 우리 대군을 범하고자 함이니 나는 필마로 가서 대군을 급히 구완할 것이니 제군은 따라오라.”/하고 달려가니 빠르기 풍우 같은지라.
> 대진을 향하여 오더니 홀연 공중에서 외쳐 말하기를,
> “용부야, 대진으로 가지 말고 황강으로 가라. 천자 강변에 꺼꾸러져 호왕의 창끝에 명이 다하게 되었으니 급히 구완하라.”/하거늘 원수 황강으로 가며 분기충천하여 말하기를,
> “앞에 큰 강이 가렸으니 건넬 길이 없는지라.”/때는 늦어 가고 분기는 울울하여 말더러 경계하여 말하기를,
> “네 비록 짐승이나 사람의 급함을 알지라. 물을 건네라.”
> 하니 청총마 그 임자의 충성을 모르리요? 고개를 들고 청천을 우러러 한소리를 벽력같이 지르고 강을 건너뛰니 이는 대성의 충심과 청총마 그 임자 아는 정을 하늘이 감동하사 건너게 함이라.
> 그제야 멀리 바라보니 상이 강변에 넘어졌는지라 원수가 우레 같은 소리를 벽력같이 지르며,
> “호왕은 나의 임금을 해치 말라.”
> 하는 소리 천지진동하니 호왕이 황겁하여 미처 회마치 못하여 청총마가 호왕의 탄 말을 물고 대성의 칠성검은 호왕의 머리를 베어 말 아래에 떨어지느니라.

① 인물이 처한 상황에 대해 서술자의 개입이 드러난다.
② 장면이 전환된 이후 중심인물의 성격 변화가 나타난다.
③ 문제 해결 과정에서 전기적(傳奇的) 요소가 나타난다.
④ 사건을 요약적으로 제시하여 사건이 빠르게 전개된다.

15 **㉠~㉤의 문단을 배열한 순서가 가장 적절한 것은?**

> ㉠ 그런데 회의론은 무수한 해석의 가능성을 허용하며 일원론과 다원론 모두에 반대한다. 해석은 참, 거짓을 판정해 줄 규제나 틀이 존재하지 않으므로 불확정적이거나 미결정적인 것이다. 따라서 해석자는 예술 작품의 이런 면모를 창의적으로 채워 넣는 공동 창조자의 지위를 갖는다.
> ㉡ 예술 작품을 해석하는 목적은 작품의 의미를 발견하는 것이며, 관점에 따라 다양한 예술 해석의 방법이 존재한다.
> ㉢ 다원론에서는 해석의 절대적 고정성을 부인하며 비어즐리의 견해가 예술 작품에서 발견한 것을 ‘보고’하는 기술에 불과하다며 비판했다. 예술 작품의 의미는 다양하므로 목적, 해석적 배경, 개념 틀에 따라 다수의 해석이 가능하다고 본다. 스테커에 따르면 예술 작품의 해석에는 여러 가지 목적이 있을 수 있고, 해석의 타당성은 상대적이라고 보았다.
> ㉣ 회의론자인 바르트는 문학 작품에서 텍스트에 의미를 부여하는 권한을 지닌 저자의 죽음을 선언하고, 텍스트 속의 언어가 다의적으로 변화한다고 판단하여 의미 해석을 해방시켰다. 다원론과 달리 독자를 다의적이고 가변적인 의미를 구성하는 데 참여하는 텍스트의 생산자로 본 것이다.
> ㉤ 일원론은 예술 작품의 의미는 고정되어 있고, 참인 해석이 다수일 수 없다고 했다. 비어즐리는 예술 작품 속의 숨은 의미를 발견, 전달하는 작업을 해석이라고 했다. 또한 예술 작품의 해석자는 작품 자체의 의미를 객관적으로 전달할 뿐이며, 무언가를 그 작품에 투사하는 것이 아니라고 했다.

① ㉡ – ㉤ – ㉢ – ㉠ – ㉣
② ㉤ – ㉠ – ㉣ – ㉢ – ㉡
③ ㉣ – ㉠ – ㉡ – ㉤ – ㉢
④ ㉡ – ㉢ – ㉤ – ㉣ – ㉠

16 글의 전개 과정에 대한 설명으로 적절하지 않은 것은?

오늘 등굣길은 어떠셨나요? 우리 학교는 대중교통을 이용한 등·하교를 권장하고 있지만, 많은 학생들의 자가용 등교로 인해 여러 문제가 발생하고 있습니다. 경찰서 자료에 따르면, 우리 학교 앞 교통사고 발생률은 평일 등교 시간이 휴일의 동시간과 대비하여 67% 정도 높다고 해요. 특히 학교 앞 도로가 유난히 좁아 차량 간 접촉 사고뿐만 아니라, 자전거 및 보행자가 부딪히는 사고도 빈번하게 일어나고 있죠.

조금만 노력하면, 모두 여유롭게 교문을 들어서는 아침을 만들 수 있습니다. 또한 자가용을 이용하지 않고 부지런히 등교 준비를 하다 보면 규칙적인 생활 습관이 몸에 배게 될 거예요. 자가용 이용은 자제하고 주변을 살피며 걸어 주세요. 평화로운 등교 장면을 상상이 아닌 현실로 만듭시다.

① 구체적인 통계 수치를 활용하여 해결 방안을 제시한다.
② 등굣길이 위험한 이유를 밝히며 문제 상황을 제시한다.
③ 실천 후 예상되는 긍정적인 변화를 구체화하고 있다.
④ 명령형과 청유형 문장을 사용하여 실천을 촉구하고 있다.

17 ㉠과 ㉡에 대한 설명으로 적절하지 않은 것은?

㉠ 도덕적 원칙주의자는 합리적 이성을 통해 찾을 수 있는 선험적 도덕 법칙이 존재하며, 인간은 이를 반드시 따라야 한다고 주장한다. 따라서 갈등 발생 시, 주관적 욕구나 개인의 상황이 아닌 도덕 법칙에 따라 행동하라고 한다. 합리적 이성을 신뢰하고 이를 통해 윤리적으로 올바른 삶을 규명하려고 했다는 점에서 의의가 있다. 하지만 선험적 도덕 법칙이 존재한다면, 도덕적 갈등은 없거나 쉽게 해결이 돼야 하는데 실제로는 아니라는 점에서 한계가 있다.

도덕적 원칙주의자와 달리 ㉡ 도덕적 자유주의자는 선험적 도덕 법칙이 존재하지 않으며, 상위 원리를 바탕으로 갈등을 해결해야 한다고 주장한다. 상위 원리를 통해 법과 같은 현실적인 규범을 만들고 이를 준수하면 도덕적 갈등이 해결된다는 것이다. 따라서 이들은 공정한 형식적 절차를 마련하는 것을 최우선으로 삼는다. 이들은 인간의 자율성 보장과 동시에 갈등 상황 해결의 현실적 방법을 만들어 냈다는 데 의의가 있다. 하지만 상위 원리를 도출하는 것이 쉽지 않으며, 이것을 만들었다고 하더라도 구체적인 규범과 지침을 마련하는 과정에서 또 다른 갈등이 발생할 수 있다.

① ㉠과 ㉡ 모두 도덕적 갈등을 해결할 수 있다고 본다.
② ㉠과 ㉡ 모두 도덕적 가치의 우선순위를 판단할 수 있다고 본다.
③ ㉠과 달리 ㉡은 선험적인 도덕 법칙을 인정하지 않는다.
④ ㉡과 달리 ㉠은 도덕적 갈등의 해결 방안을 마련하는 과정에서 갈등이 발생할 수 있다는 한계가 있다.

18 다음 글을 바탕으로 추론할 수 없는 것은?

천체와 일정 거리만큼 떨어져 있는 물체에는 천체와 물체의 질량에 비례하고, 거리의 제곱에 반비례하는 중력이 작용한다. 일반적으로 중력의 세기를 구할 때는 계산의 편의를 위해 천체와 물체의 질량이 각각의 질량 중심이라는 한 점에 모여 있다고 가정한다. 이렇게 했을 때, 오직 두 점 사이에 작용하는 중력만을 고려하면 되기 때문이다. 그러나 실제로 부피가 있는 물체의 경우, 각 부위마다 천체와의 거리가 달라 작용하는 중력의 크기가 다르다. 이렇게 중력의 차이가 발생하는 것을 차등중력이라 하며, 이것에 의해 물체의 각 부위에 작용하는 상대적인 힘을 기조력이라 한다.

기조력에 의해 천체 주변의 물체는 천체 쪽으로 늘어난다. 천체와 마주하는 부위는 천체로부터 멀리 떨어진 부위보다 더 큰 중력을 받으므로 천체로 끌려가는 기조력을 받는 반면, 멀리 떨어진 부위는 천체와 마주하는 부위보다 중력을 덜 받으므로 상대적으로 덜 끌려가기 때문이다.

① 천체로부터 떨어진 모든 물체에 작용하는 기조력에 의해 차등중력이 발생한다.

② 물체의 질량이 같을 때, 천체로부터의 거리가 B인 물체는 거리가 2B인 물체보다 작용하는 중력이 네 배 크다.

③ 천체로부터 같은 거리만큼 떨어진 질량이 A인 물체보다 질량이 2A인 물체에 작용하는 중력은 두 배 크다.

④ 천체 주변의 물체에서 천체와 마주한 부위는 기조력에 의해 변형된다.

19 다음 작품의 내용에 대한 이해로 적절하지 않은 것은?

푸른 담쟁이 헤치고 독락당(獨樂堂)을 지어 내니
그윽한 경치는 견줄 데 전혀 없네.
수많은 긴 대나무 시내 따라 둘러 있고
만 권의 서책은 네 벽에 쌓였으니
왼쪽엔 안회 증삼, 오른쪽엔 자유 자하[1)]
서책을 벗 삼으며 시 읊기를 일삼아
한가로운 가운데 깨우친 것을 혼자서 즐기도다.
독락, 이 이름 뜻에 맞는 줄 그 누가 알리
사마온공 독락원이 아무리 좋다 한들
그 속의 참 즐거움 이 독락에 견줄쏘냐.
진경을 다 못 찾아 양진암(養眞庵)에 돌아들어
바람 쐬며 바라보니 내 뜻도 뚜렷하다.
퇴계 이황 자필이 참인 줄 알겠노라.
관어대 내려오니 펼친 듯한 반석에 자취가 보이는 듯.

<중략>

鳶飛魚躍을 말없는 벗으로 삼아
독서에 골몰하여 성현의 일 도모하시도다.
맑은 시내 비껴 건너 낚시터도 뚜렷하네.
묻노라, 갈매기들아. 옛일을 아느냐.
엄자릉이 어느 해에 한나라로 갔단 말인가.[2)]
이끼 낀 낚시터에 저녁연기 잠겼어라.

– 박인로, 〈독락당〉 –

[어휘 풀이]
1) 안회, 증삼, 자유, 자하 : 공자의 제자들
2) 엄자릉이~갔단 말인가 : 후한의 광무제가 내린 벼슬을 엄광이 거부하고 자연에 은거하였다는 고사를 이름.

① 역사적 사례에 견주어 대상을 예찬하고 있다.

② 공간에 대한 묘사를 통해 화자가 받은 인상을 표현한다.

③ 자연물에 인격을 부여하여 그것의 덕성을 본받고자 한다.

④ 공간의 이동에 따라 화자의 정서와 태도가 드러난다.

20 **다음 밑줄 친 '안악굴'에 대한 설명으로 적절하지 않는 것은?**

> 그의 결심이란 다른 것이 아니라 살림을 떠엎고 말리라는 것이었다. 살림이라야 가진 논밭이 없고, 몇 대쨴진 몰라도 하늘에서 떨어져서는 첫 동네라는 안악굴 꼭대기에서 그중에서도 제일 외따로 떨어져 있는 오막살이를 근거로 하고 화전이나 파먹고 숯이나 구워 먹고 덫과 함정을 놓아 산짐승이나 잡아먹던 구차한 살림이었다. 그래도 자기 아버지 대에까지는 굶지는 않고 남에게 비럭질은 하지 않고 살아왔다. 그렇던 것이 언제 누가 임자로 나서 팔아먹었는지 둘레가 백 리도 더 될 큰 산을 삼정회사에서 샀노라고 나서 가지고는 부대를 파지 못한다, 숯을 허가 없이 굽지 못한다, 또 경찰에서는 멧돼지 함정이나 여우 덫은 물론이요, 꿩 창애나 옥누 같은 것도 허가 없이는 못 놓는다 하고 금하였다.
>
> 요즘 와서 안악굴 동네는 산지기와 관청에서 이르는 대로만 지키자면 봄여름에는 산나물이나 뜯어 먹고, 가을에는 머루 다래나 하고 도토리나 주워다 먹고 겨울에는 곤충류와 같이 땅속에 들어가 동면이나 할 수 있으면 상책이게 되었다. 그러나 큰 산 속 안악굴서 사는 사람들이라고 해서 이 장군이네부터도 갑자기 멧돼지나 노루와 같이 초식만을 할 수가 없고 나비나 살무사처럼 삼동 한 철을 자고만 배길 수도 없었다. 배길 수가 없어서가 아니라 하고 싶어도 재주가 없어서였다.
>
> 그래서 안악굴 사람들은 관청의 눈이 동뜬 때문인지 엄밀하게 따지려면 늘 범죄의 생활자들이었다. 안악굴서 멧돼지와 노루의 함정을 파놓은 것이 이 장군이 한 사람만은 아니었다. 그날 하필 사냥을 나왔던 순사부장이 빠진다는 것이 알고 보니 여러 함정 중에 장군이가 파놓은 함정이었다. 그래서 장군이는 쩔름거리는 순사부장의 뒤를 따라 그의 묵직한 총을 메고 경찰서로 들어왔고 경찰서에 들어와선 처음엔 귀때기깨나 맞았으나 다음날로부터는 저희 집 관솔불이나 상사발에 대어서는 너무나 문화적인 전기등 밑에서 알미늄 벤또에다 쌀밥만 먹고 지내다가 스무 날 만에 집으로 나오는 길이었다.
>
> – 이태준, 〈촌뜨기〉 –

① 기존의 생계유지를 위한 행동이 범죄로 여겨질 수 있다.

② '전기등' 따위는 들어오지 않는 전근대적인 환경이다.

③ 소유권이 바뀌면서 이곳에 사는 사람들의 생활이 변했다.

④ 이곳을 통제하는 자들에게 저항하려는 '함정'이 있다.

제10회 국어 모의고사

01 중세 국어의 특징에 대한 설명으로 적절하지 않은 것은?

> 나·랏 :말ᄊᆞ·미 中듀ᇰ國·귁·에 달·아 文문字·ᄍᆞᆼ·와·로 서르 ᄉᆞᄆᆞᆺ·디 아·니ᄒᆞᆯ·ᄊᆡ ·이런 젼·ᄎᆞ·로 어·린 百·ᄇᆡᆨ姓·셩·이 니르·고·져 ·ᄒᆞᇙ ·배 이·셔·도 ᄆᆞ·ᄎᆞᆷ:내 제 ·ᄠᅳ·들 시·러 펴·디 :몯ᄒᆞᇙ ·노·미 하·니·라 ·내 ·이·ᄅᆞᆯ 爲·윙·ᄒᆞ·야 :어엿·비 너·겨 ·새·로 ·스·믈여·듧 字·ᄍᆞᆼ·ᄅᆞᆯ ᄆᆡᇰ·ᄀᆞ노·니 :사ᄅᆞᆷ:마·다 :ᄒᆡ·ᅇᅧ :수·ᄫᅵ 니·겨 ·날·로 ·ᄡᅮ·메 便뼌安한·킈 ᄒᆞ·고·져 ᄒᆞᇙ ᄯᆞᄅᆞ·미니·라

① ':말ᄊᆞ·미'와 '百·ᄇᆡᆨ姓·셩·이'는 격 조사의 형태가 같다.
② '中듀ᇰ國·귁'과 '펴·디'에는 구개음화가 일어나지 않았다.
③ ':ᄒᆡ·ᅇᅧ'와 '便뼌安한·킈 ᄒᆞ·고·져'에 피동 표현이 쓰였다.
④ '·ᄡᅮ·메'의 명사형 어미는 그 형태가 현대 국어와 다르다.

02 ㉠~㉣의 밑줄 친 부분에 대한 설명으로 적절한 것은?

> ㉠ 나중에 <u>직장인</u> 돼서 다 같이 해외여행 가자.
> ㉡ 바람은 <u>아주</u> 큰 회오리를 일으켰다.
> ㉢ 그의 성공 비결은 바로 <u>그가 성실함</u>에 있다.
> ㉣ 고양이 <u>다섯</u> 마리가 밥을 먹고 있다.

① ㉠: 명사가 조사와 결합 없이 주어로 쓰였다.
② ㉡: 부사가 명사를 수식하는 관형어로 쓰였다.
③ ㉢: 명사절이 부사격 조사와 결합해 부사어로 쓰였다.
④ ㉣: 수사가 명사를 수식하는 관형어로 쓰였다.

03 다음 중 밑줄 친 부분의 발음이 적절한 것은?

① 얼굴은 <u>낯익은데</u>[나디근데] 이름은 모르겠다.
② 그렇게 <u>몰상식한</u>[몰상시칸] 사람은 처음 봤다.
③ 옆집에 <u>희넓적한</u>[히널쩌칸] 청년이 이사를 왔다.
④ 그는 나의 삶을 <u>짓밟고</u>[진빱꼬] 말았다.

04 ㉠과 ㉡에 해당하는 예시로 적절하지 않은 것은?

> ㉠ <u>직접 발화 행위</u>란 발화된 내용과 발화자의 의도가 일치하는 행위를 말한다. 우리말에서는 종결 어미가 화자의 의도를 나타내는 기능을 하므로, 상대방에게 어떠한 행동을 하기를 요구한다면, 명령형 종결 어미로 자신의 의도를 직접 표현할 수 있다. 이에 비해 ㉡ <u>간접 발화 행위</u>란 관련된 언어적 표현을 직접 쓰지 않으면서도 발화자의 의도를 드러내는 방법을 말하는데, 평서문이나 의문문을 통해 명령이나 요청 등의 기능을 수행하는 것이 이에 해당한다. 이는 발화자의 의도가 이면에 숨어 있으므로 발화가 수행되는 상황을 정확히 파악해야만 의사소통이 원활하게 이루어질 수 있다.

① ㉠: (기차를 기다리며) 이제 기차 올 시간 다 됐나?
② ㉠: (비를 맞고 온 손님에게) 여기 따뜻한 차입니다.
③ ㉡: (길에 쓰레기를 버리는 아이에게) 얘, 여기가 쓰레기통으로 보이니?
④ ㉡: (피아노를 시끄럽게 치는 옆집에) 아기가 피아노 치는 소리 때문에 잠을 못 자네요.

05 다음 글의 중심 내용으로 가장 적절한 것은?

> 국민의 알 권리란 국민들이 원하는 공적인 정보를 취득할 때 방해받아서는 안 되는, 법적으로 보호받는 권리이다. 하지만 정보가 방대해지고 전문화됨에 따라 국민들이 정보에 접근하기 점점 어려워지고 있으며, 이를 대행하는 언론의 역할이 중요해지고 있다. 그러면서 객관적이고 공정한 보도에 대한 국민들의 요구도 커지고 있다. 하지만 언론의 편의를 위해 보도의 공정성과 객관성 및 국민의 알 권리를 위협하는 취재 및 보도 방식이 생겨났다. 속보와 특종에 대한 경쟁 때문에 취재원에게서 얻은 정보를 그대로 보도하거나 선정적으로 보도하는 무책임한 보도 방식이 생겨났는데, 이를 '발표 저널리즘에 의한 보도'라고 한다. 검증되지 않은 무분별한 정보의 전달은 보도의 공정성과 객관성을 침해할 수 있으므로 취재 내용에 대한 검증은 필수적이다. 다음으로 취재원과의 관계와 취재 및 보도의 편의 때문에 생겨난 엠바고, 비보도 요청, 배경 설명 같은 취재 관행이 있다. 이러한 취재 관행은 국민의 알 권리를 침해한다는 비판을 받기도 하지만, 공익에 따라 일부 필요성이 인정되는 경우도 있어 구분할 필요가 있다.

① 국민의 알 권리 보장을 위한 언론의 책무
② 발표 저널리즘에 의한 보도의 허용 범위
③ 정보화 시대 속 국민들의 권익 보호 방안
④ 헌법상 보장되는 국민의 알 권리

06 다음 글을 읽고 추론한 것으로 적절하지 않은 것은?

> ㉠ 폰 노이만의 게임이론은 경쟁 상대의 행동이나 결정을 고려해 자신에게 최대한의 이익이 되도록 결정해야 되는 상황에서 개인이나 조직이 어떻게 의사결정을 하는지 연구하는 이론이다. 참가자들은 경쟁 상대가 어떤 전략을 쓰든 모든 전략에 대해 최선이 되는 우월 전략을 씀으로써 자신에게 최대의 이익이 되도록 행동한다고 본다. 게임 이론의 중요한 가정은 인간이 항상 합리적 선택을 한다는 점이다. 하지만 이에 대한 반론이 나타나면서 게임 이론에 생물학의 진화 이론을 접목한 진화 게임이론이 등장하게 된다.
>
> ㉡ 진화 게임 이론에 따르면 인간의 합리적인 선택은 의식적인 것이 아니라 사회적 생존에 유리한 전략을 본능적으로 선택한 결과로 본다. 이는 유전을 통해 특정 전략을 물려받았기 때문이다. 따라서 어떤 개체에게 가장 좋은 전략은 개체군 대부분이 선택한 전략이라 할 수 있다. 왜냐하면 모든 개체는 자신의 성공을 최대화할 수 있는 전략을 선택하기 때문이다. 따라서 대부분의 개체가 선택한 것이 최상의 전략이며 이를 진화적 안정 전략이라고 부른다. 진화 게임 이론은 생존 경쟁의 상황에서 이타적인 행위와 협조적인 태도가 나타나는 이유를 제공한다는 점에서 의의가 있다.

① ㉡이 진화적 안정 전략을 쓰는 것과 달리 ㉠은 우월 전략을 쓴다.
② ㉠과 ㉡은 모두 인간이 자신의 성공에 유리한 전략을 선택한다고 보았다.
③ ㉠과 달리 ㉡은 최대의 이익을 얻기 위해서는 개체군 대부분이 선택한 전략을 고려해야 한다고 본다.
④ ㉠과 ㉡은 모두 경쟁 상황에서 인간은 항상 의식적으로 합리적인 선택을 한다는 것을 가정하고 있다.

07 토의 참여자의 말하기 방식으로 적절하지 않은 것은?

주민 1: 우리 아파트에서도 부녀회가 주축이 되어서 '장난감 공유 센터'를 만들어서 운영하면 어떨까요?
주민 2: 좋은 생각이에요! 그런데 요즘은 감염병 전파가 심각한 상황이라 입주민들이 참여를 할지 모르겠어요.
주민 3: 특히나 아이들이 사용하는 물건이라 더욱 민감할 수 있겠네요. 운영상의 어려움도 고려해야 하고요.
주민 1: 혹시 소독과 관련해서 좋은 해결 방법이 없을까요?
주민 2: 근처에 중고 주방 업체가 있으니까 적외선 살균기를 저렴하게 구입하면 좋을 것 같아요.
주민 3: 좋은 생각이네요. 저희 집엔 더 이상 보지 않는 동화책이 많은데 서적도 공유하면 어떨까요?
주민 1: 동화책은 아파트 작은 도서관에서도 받아주실 거예요.
주민 3: 그럼 작은 도서관에 문의해야겠네요.
주민 2: 좋아요. 그럼 지금까지 논의된 내용을 바탕으로 주민들 의견을 구해야 하니 제안서를 작성해 봐요.

① 주민 1은 제안을 하며 다른 이들의 의견을 구하고 있다.
② 주민 2는 제안과 관련하여 우려되는 사항을 언급한다.
③ 주민 3은 제안에 비판적으로 반응하며 다른 제안을 한다.
④ 주민 2는 해결 방안을 제시하고 제안서를 작성하자고 한다.

08 다음 글의 ㉠ ~ ㉣을 고쳐 쓸 때 가장 적절하지 않은 것은?

대부분의 사람들은 물을 많이 마실수록 좋다고 알고 있다. 물을 많이 마시면 ㉠ 노폐물 배출, 관절의 충격을 흡수하며, 장기와 조직을 보호하는 등의 역할을 한다는 점에서 물 섭취는 중요하다. 그러나 물을 많이 섭취한다고 좋은 것만은 아니다. 바람직한 물 섭취를 위해 유의할 점은 무엇일까?

우선, 한 번에 마시는 물의 양에 유의해야 한다. 단시간 내에 ㉡ 충분히 많은 양의 물을 마시면 혈액 속 나트륨 농도가 정상 수치 이하로 내려가는 '물 중독'이 발생할 수 있다. ㉢ 한 다큐멘터리에서는 물 중독 환자들의 모습을 보여 주며 그 위험성을 경고하기도 했다. 다음으로, 물을 마시는 때에 대해서도 유의해야 한다. ◇◇대학 연구 팀의 실험이 이를 뒷받침한다. 목이 마를 때 물을 마신 경우는 물을 마시지 않은 경우보다 과제 수행 능력이 뛰어난 것으로 나타났다. ㉣ 그리고 목마르지 않은 데도 물을 마신 경우는 물을 마시지 않은 경우보다 과제 수행 능력이 떨어진다는 결과가 나왔다.

① ㉠은 뒤에 나열되는 절의 문장 성분을 고려하여 '노폐물을 배출하고'로 수정한다.
② ㉡은 문맥을 고려하여 부정적인 의미를 내포하는 단어인 '지나치게'로 수정한다.
③ ㉢은 앞의 내용과 관련이 없는 문장이므로 삭제한다.
④ ㉣은 앞뒤 문장의 관계를 고려하여 '반면'으로 수정한다.

09 다음 작품과 관련이 없는 한자성어는?

두터비 파리를 물고 두험 우희 치다라 안자
것너산(山) 바라보니 백송골(白松骨)이 떠 잇거날
가슴이 금즉하여 풀덕 뛰여 내닷다가 두험 아래 잣바지거고.
모쳐라 날낸 낼싀망졍 에헐질 번하괘라.

① 苦肉之策　② 苛斂誅求
③ 啞然失色　④ 厚顔無恥

10 ㉠~㉤의 배열이 가장 자연스러운 것은?

서로 반대되거나 대립하는 의미가 있는 단어 사이의 의미 관계를 '반의 관계'라고 한다. 두 단어 사이에 반의 관계가 성립하려면 다음과 같은 조건을 만족시켜야 한다.

㉠ 반의 관계는 이러한 동질성의 조건 속에서 하나의 매개 변수만 다른 이질성의 조건이 필요하다. '남편'과 '아내'는 동질성 속에서 '성(性)'이라는 단 하나의 매개 변수만 다르므로 반의어가 될 수 있는 것이다.

㉡ '살다'와 '삶'의 반의어는 각각 '죽다'와 '죽음'인데, 이것은 반의어의 품사가 동일해야 함을 말해준다. '가볍다'의 반의어가 '무겁다'이지 '무거운'이 될 수 없는 것처럼 형태도 마찬가지로 동일해야 한다.

㉢ 우선 반의 관계에 있는 두 단어는 동일 의미 영역에 속해야 한다. 즉, 동일한 의미 성분을 공유해야 한다.

㉣ 그리고 동일 의미 영역에 속한 두 단어는 동일 어휘 범주에도 속해야 한다. 동일 어휘 범주는 반의 관계에 있는 두 단어의 품사와 형태가 같아야 한다는 것이다.

㉤ '남편'과 '아내'라는 단어는 '인간'이고 '성인'이며 '기혼'이라는 공통점이 있으므로 동일 의미 영역에 속한다.

① ㉢－㉤－㉣－㉡－㉠
② ㉡－㉢－㉠－㉤－㉣
③ ㉠－㉡－㉤－㉣－㉢
④ ㉢－㉣－㉤－㉠－㉡

11 다음의 감상문을 쓸 때 고려하지 않은 사항은?

산업화 이후 우리나라에서 치매 노인의 부양 문제는 급변하는 사회 구조와 전통적 가족 구조 사이의 불협화음을 일으키는 요인이 되었다. 1970~1980년대 소설에서 치매는 전통적 가족 가치관의 변모와 가족 관계의 균열을 보여주는 제재로 기능했다. 박완서의 <해산 바가지>는 노인의 숭고한 생명 존중 정신의 가치를 깨달은 가족들이 치매 노인을 가정으로 끌어안는 과정을 보여줌으로써 균열의 회복 가능성을 제시한다. 전반부에서는 딸을 출산한 며느리를 구박하는 '나'의 친구를 통해 당대 사회에 만연했던 남아 선호 사상을 잘 드러내고, 치매에 걸린 시어머니를 부양하면서도 힘든 내색을 하지 못하는 '나'의 모습을 통해서는 여성에게 지워진 사회적 굴레를 보여 주고 있다. 이 작품을 통해 우리 사회의 문제였던 남아 선호 주의를 비판적으로 바라볼 수 있고, 생명 존중의 가치를 다시금 깨닫게 되었다.

① 동일한 소재를 다룬 작품들과의 관계
② 작품이 창작된 시기의 사회적 배경
③ 작품에 나타나는 주제 의식과 서사 구조
④ 작품을 통해 사회 문제에 관해 깨달은 점

12 다음 중 밑줄 친 부분이 바르게 쓰이지 않은 것은?

① 신발이 작아서 발이 꽉 죘다.
② 간호사가 환자를 침대에 뉘였다.
③ 언덕을 내려오며 풀숲을 톺아봤다.
④ 그 아이는 한글을 스스로 깨쳤다.

13 다음 글의 중심 화제로 가장 적절한 것은?

> 경제학자에게 화폐란 부(富)의 한 형태로, 결제에 즉시 사용할 수 있는 자산을 의미한다. 우리가 사용하는 화폐는 유통되지 않는다면 그저 유명인의 초상화가 그려진 종이에 불과하다. 이처럼 그 자체만으로는 아무 가치가 없는 화폐를 법정 불환 지폐라고 한다. 이것은 법률에 따라 화폐로 확정되었기 때문에 통용될 수 있는 것이다. 과거에는 대부분의 사회에서 자체적으로 가치를 내재하고 있는 상품을 화폐로 사용하였다. 이를 상품 화폐라고 하는데, 금은 다양한 목적으로 사용할 수 있어서 대표적인 상품 화폐로 통용되었다.

① 법정 불환 지폐의 조건
② 화폐의 두 가지 유형
③ 현대 사회에서 화폐의 중요성
④ 화폐 체제의 변천 과정

14 다음 작품과 주제가 가장 유사한 것은?

> 아아 내 일이야 잠을 깨어 생각하니
> 세상의 모든 일이 모두가 허랑(虛浪)하다
> 공명(功名)이 때가 늦어 백발은 귀밑이요
> 산업(産業)에 꾀가 없어 초가집 몇 칸이라
> 백화주 두세 잔에 산수에 정이 들어
> 홍도 벽도(紅桃碧桃) 난발한데 지팡이 짚고 들어가니
> 산은 첩첩 기이하고 물은 청청 깨끗하다
> 안개 걷어 구름 되니 남산 서산 백운이요
> 구름 걷혀 안개 되니 계산 안개 봉이 높다
> 앉아 보고 서서 보니 별천지가 여기로다
> 때 없는 두 귀밑을 돌시내에 다시 씻고
> 탁영대(濯纓臺) 잠깐 쉬고 세심대(洗心臺)로 올라가니
> 풍대(風臺)의 맑은 바람 심신이 시원하고
> 월사(月榭)의 밝은 달은 맑은 의미 일반이라
>
> – 남석하, 〈초당춘수곡(草堂春睡曲)〉 –

① 묏버들 ᄀᆞᆯᄒᆡ 것거 보내노라 님의손ᄃᆡ,
자시ᄂᆞᆫ 창 밧긔 심거 두고 보쇼셔.
밤비예 새닙곳 나거든 날인가도 너기쇼셔.

② 이화에 월백ᄒᆞ고 은한이 삼경인제
일지춘심을 자규야 알랴마ᄂᆞᆫ
다정도 병인양ᄒᆞ야 잠못드러 ᄒᆞ노라

③ 청산ᄂᆞᆫ 엇데ᄒᆞ야 만고애 프르르며
유수ᄂᆞᆫ 엇데ᄒᆞ야 주야애 긋디 아니ᄂᆞᆫ고
우리도 그치디 마라 만고상청 호리라

④ 말 업슨 청산이요, 태 업슨 유수ㅣ로다.
갑 업슨 청풍이요, 님ᄌᆞ 업슨 명월이라.
이 중에 병 업슨 이 몸이 분별 업시 늙으리라.

15 ㉠~㉣의 한자어 표기가 적절한 것은?

> 사진은 그 ㉠ 태동부터 순간을 남기는 데 매달렸다. 이는 회화와 ㉡ 별반 다르지 않았다. 회화에서 움직임을 묘사하려는 시도는 '움직이는 대상'의 순간을 ㉢ 포착한 것이었다. 20세기 초 사진에서 영감을 받은 예술가들은 세상을 새로운 아름다움, 속도의 미로 채울 거라고 ㉣ 선언하였다.

① ㉠: 態動　② ㉡: 別盤
③ ㉢: 捕捉　④ ㉣: 善言

16 다음 글의 내용과 일치하지 않는 것은?

채무자의 고의 또는 과실로 인해 채무가 이행되지 못하는 경우를 채무 불이행이라고 한다. 채무 불이행은 이행 지체, 이행 불능 등으로 구분된다. 먼저 이행 지체는 채무의 이행기가 도래하였고 이행이 가능한데도 채무자가 채무를 이행하지 않는 것을 말한다. 이행 지체가 발생하면 채권자는 소송을 통해 강제 집행을 하거나 이행 지체로 인한 손해를 배상하게 하는 지연 배상을 청구할 수 있으며, 경우에 따라서는 채무가 이행되었을 때 채권자가 얻을 수 있었던 이익 전부를 돈으로 배상하는 전보(塡補) 배상을 청구할 수 있다. 반면 이행 불능은 강제 집행이 가능한 이행 지체와 달리 채권 성립 후에 채무자의 귀책으로 인해 채무 이행 자체가 불가능해진 상태를 말한다. 이 경우 채권자는 계약을 해제하고 이미 지급한 돈이나 물건의 반환과 함께 손해 배상을 청구할 수 있으며, 계약을 해제하지 않고 자신의 의무를 모두 이행한 후 전보 배상을 청구할 수도 있다. 이행 지체 후에 이행 불능이 생긴 경우는 이행 불능으로 취급한다.

① 이행 불능 시 계약 해제 후 손해 배상을 청구할 수 있다.
② 이행 지체는 이행 불능과 달리 강제 집행이 가능하다.
③ 채무 불이행은 채무의 이행 가능 여부에 따라 구분된다.
④ 전보 배상을 청구하기 위해서는 계약을 해제해야 한다.

17 다음 글의 서술상의 특징으로 적절하지 않은 것은?

고려 시대부터 지속된 계회(契會)는 문사나 관리들이 서로의 학업과 덕행을 독려하며 연대감을 강화하려는 모임을 뜻한다. 이것이 조선 시대에는 친목과 더불어 관리들의 결속이라는 공리적 기능을 위해 왕실의 후원까지 받았다. 관리들의 계회인 요계(僚契)는 그 성격과 계기에 따라 구분되었다. 동관 계회는 같은 관아에 봉직하는 관리들의 모임이고, 도감 계회는 도감이라는 관아에서 일한 관리들의 모임이었다. 한편 같은 시기에 과거 급제한 동료들의 모임인 동방 계회는 일생 동안 지속되는 경향이 있었다. 계원들은 계회를 기념하고 모임의 기록을 전승하기 위해 계회의 장면을 담은 그림을 나누어 가졌는데, 이를 계회도(契會圖)라 한다.

계회도는 친목의 현장을 사실적으로 담고 있어 기록적 성격을 지닌다. 대개 커다란 화폭을 삼단으로 나누어 화폭 상단부에는 표제를 적고, 중간에는 산수를 배경으로 한 계회 장면을 그려 넣었으며, 하단부에는 참석한 계원들의 명단과 자리의 차례를 담은 목록인 좌목을 기록하였다. 좌목에는 참석자의 관직, 위계, 성명, 자, 본관 등이 포함되어 있었으며, 부친의 성명과 관직도 기록해 관리로서의 소속감, 자부심뿐만 아니라 가문 의식을 표출하기도 하였다. 이러한 계회도는 제작 과정에서 기록된 시문을 통해 계회의 상황이 더욱 구체적으로 드러나 문화사적으로 의미를 지닐 뿐만 아니라, 제작 연대가 비교적 명확하여 당대 화풍을 감지할 수 있게 해 주어 회화사적으로도 매우 유용한 가치를 지닌다.

① 점차 확대된 '계회'의 성격을 시대에 따라 서술하고 있다.
② '계회'를 이루는 구성 요소를 분석하고 있다.
③ '계회도'의 화폭 구성을 구체적으로 설명하고 있다.
④ '계회도'의 문화사적, 회화사적 가치를 밝히고 있다.

18 등장인물의 말하기 방식으로 적절하지 않은 것은?

[앞부분 줄거리] 심 봉사는 자신의 눈을 뜨게 할 수 있다는 중의 말을 믿고 공양미 삼백 석을 시주하기로 약속한다. 심청은 공양미 삼백 석을 얻기 위해 남경 상인들에게 자신의 몸을 팔고 인당수 제물로 바쳐진다. 선녀가 물에 빠진 청을 구하고 회생약을 먹이자 청이 깨어난다.

"우리는 동해 용왕의 시녀로서 부인을 모셔 오라는 명을 받고 왔는데, 시각이 더디어 하마터면 목숨을 잃을 뻔하셨습니다."

㉠ 청이 다시 정신을 수습하여,

"나는 인간 세상의 천한 사람인데 용왕이 이렇듯 염려해 주시니 황공하고 감사합니다."

㉡ 선녀가 말하기를,

"부인의 고행(苦行)도 하늘이 정하신 바요, 이제 용왕이 부르심 또한 정해진 운명이오니 가시면 저절로 아실 것입니다." / 하고, 배를 저어 가며 옥피리를 불고 뱃노래를 주고받으니 청의 마음이 상쾌하고 몸이 날아갈 듯 가벼웠다. 순식간에 한 곳에 다다르니 높고 우람한 궁궐이 구름 위로 아득하고, 큰 문에 황금 글자로 현판에 새기기를 '동해 용궁'이라 했다. 선녀가 배를 대문 아래 대고 내리라 하기에, 청이 몸을 일으켜 내리니 안으로부터 비단 저고리에 붉은 치마를 입은 ㉢ 시녀들이 쌍쌍이 나와 황금 가마를 갖다 대고,

"낭자는 이 가마에 오르십시오."

하니, 청이 사양하며 말하기를,

"나는 인간 세상의 천인인데 어찌 이것을 타겠습니까?"

하니, 선녀가 말했다.

"부인이 인간 세상에서는 가난하고 어려우셨으나 용궁에서는 귀하신 몸입니다. 또 이 가마는 전에 타시던 것이니 사양치 마시고 바삐 올라 대왕의 기다리심을 생각하십시오."

− 작자 미상, 〈심청전〉 −

① ㉠은 자신을 구해준 것에 대해 감사의 마음을 표현한다.

② ㉡은 운명론적 세계관을 바탕으로 ㉠에게 말하고 있다.

③ ㉠은 신분상의 이유로 가마를 타는 것을 사양한다.

④ ㉢은 상황의 변화를 이유로 들며 ㉠을 설득하고 있다.

19 ㉠～㉣에 대한 설명으로 적절하지 않은 것은?

[앞부분 줄거리] 할머니는 어린 '나'에게 밤마다 집 앞을 지나며 울부짖는 절름발이 사내가 참전한 '둘째 삼촌 병권'을 데려갈 저승사자라고 하며 적대감을 드러냈다.

"차라리 날 델꼬 가거라! 우리 병권이 대신 차라리 이 늙은이를 델꼬 가란 말여, 이 썩어 문드러질 잡것아!"

"이게 무슨 소리지?"

드디어 저승사자가 입을 열어 음산한 가락으로 대거리 해왔다. 시립 병원에서 일차로 부닥뜨린 경험이 있기 때문에 한번 해볼 만한 상대라는 생각이 들었다. 저승사자의 지팡 몽둥이로부터 어떡하든 집안을 지켜야 된다는 일념으로 나는 발끈 용기를 쥐어짜면서 앞으로 나섰다.

㉠ "우리 병권이 삼춘은 내비두라니깨요! 춘삼월 호시절에나 우리 할머니 델꼬 가라니깨요!"

"병권이는 또 웬 놈이지?"

그제야 비로소 나는 상대방이 시립 병원의 그 저승사자가 아니라 딴 저승사자인 줄을 알아차렸다. 목청도 다르고 말투도 달랐다. 덩치가 훨씬 더 우람한 데다가 미남형 얼굴도 아니라는 생각이 들었다.

"우리 둘째 삼춘이라니깨요! 동부 전선서 하사로 싸우고 있다니깨요!"

비명 삼아 도나캐나 뽑아 올리는 내 말을 저승사자가 음산하게 맞받았다.

㉡ "느이 삼촌 안 데려갈 테니까 걱정도 말아라!"

그러나 할머니는 땅바닥에 철퍼덕 쓰러지는 바람에 정작 저승사자의 약속을 듣지도 못했다.

할머니는 그길로 시난고난 앓다가 며칠 후에 끝내 숨을 거두고 말았다. 해토머리가 오기 전이었다. 할머니의 장례 덕분에 나는 난생처음 북망산을 내 발로 직접 밟아 볼 수 있었다. 그곳은 결코 이 세상의 끝이 아니었다. ㉢ 내가 알고 있던 것보다 훨씬 더 광대한 세계가 공동묘지 그 너머에 그득 펼쳐져 있다는 사실을 나는 그때 처음 알았다.

할머니가 그토록 기다렸던 해토머리가 오자 어느 날부턴가 저승사자는 우리 동네 근처에 일절 범접하지 않게 되었다. 그리고 ㉣ 얼마 후에 둘째 삼촌이 나무로 된 보조 장구를 양쪽 겨드랑이에 낀 모습으로 집에 돌아왔다. 나는 반가움보다 두려움이 더 앞서는 마음으로 둘째 삼촌의 오른쪽 뺨 부위를 일삼아 쳐다보고 또 쳐다봐야만 했다.

① ㉠: '나'가 할머니의 인식에 영향을 받았음을 보여준다.
② ㉡: '나'의 행동으로 인해 저승사자의 마음이 바뀌었다.
③ ㉢: 할머니의 죽음은 '나'가 세계에 대한 인식을 확장하는 계기가 되었음을 보여준다.
④ ㉣: '나'의 삼촌은 저승사자와 같은 아픔을 겪게 되었음을 나타낸다.

20 **다음 작품의 화자에 대한 설명으로 적절하지 않은 것은?**

> 내 몸이 소금을 필요로 하니, 날마다 소금에 절어가며
> 먹장 매연 세월 썩는 육체를 안고 가는 여행 힘에 겹네
> 썩어서 부식토가 되는 나뭇잎이 자연을 이롭게 한다면
> 한줌 낙엽의 사유라도 길바닥에 떨구면 따뜻하리라
> 그러나 찌든 엽록의 세상 너덜토록
> 풍화시킨 쉰 살밖에 없어
> 후줄근한 퇴근길의 오늘 새삼 춥구나
> 저기, 사람이 있네, 염전에는 등만 보이고
> 모습을 볼 수 없는 소금 굽는 사람이 있네
> 짜디짠 땀방울로 온몸 적시며
> 저물도록 발틀 딛고 올라도 늘 자기 굴헝에 떨어지므로
> 꺼지지 않으려고 수차를 돌리는 사람, 저 무료한 노동
> 진종일 빈 허벅만 퍼올린 듯 소금 보이지 않네
> 하나, 구워진 소금 어느새 썩는 살마다 저며와
> 뿌옇게 흐린 눈으로 소금바다 바라보게 하네
> 그 눈물 다시 쓰린 소금으로 뭉치려고
> 드넓은 바다로 돌아서게 하네
>
> – 명인, 〈소금 바다로 가다〉 –

① 대상의 무의미한 행동을 비판적으로 바라본다.
② 자연물로부터 삶의 의미를 발견하고 있다.
③ 자신의 삶에 대해 성찰하고 있다.
④ 무기력한 상태에서 벗어나 삶의 의지를 회복한다.

PART 02

국어

기출문제
문제편

- 2021.04.17. 시행 국가직 9급
- 2021.06.05. 시행 지방직 9급

2021년 국가직 9급 국어 기출문제

01 맞춤법에 맞는 것만으로 묶은 것은?

① 돌나물, 꼭지점, 페트병, 낚시꾼
② 흡입량, 구름양, 정답란, 칼럼난
③ 오뚝이, 싸라기, 법석, 딱다구리
④ 찻간(車間), 홧병(火病), 셋방(貰房), 곳간(庫間)

02 ㉠의 단어와 의미가 같은 것은?

친구에게 줄 선물을 예쁜 포장지에 ㉠ 싼다.

① 사람들이 안채를 겹겹이 싸고 있다.
② 사람들은 봇짐을 싸고 산길로 향한다.
③ 아이는 몇 권의 책을 싼 보퉁이를 들고 있다.
④ 내일 학교에 가려면 책가방을 미리 싸 두어라.

03 가장 자연스러운 문장은?

① 날씨가 선선해지니 역시 책이 잘 읽힌다.
② 이렇게 어려운 책을 속독으로 읽는 것은 하늘의 별 따기이다.
③ 내가 이 일의 책임자가 되기보다는 직접 찾기로 의견을 모았다.
④ 그는 시화전을 홍보하는 일과 시화전의 진행에 아주 열성적이다.

04 다음 글의 설명 방식으로 적절하지 않은 것은?

빛 공해란 인공조명의 과도한 빛이나 조명 영역 밖으로 누출되는 빛이 인간의 건강하고 쾌적한 생활을 방해하거나 환경에 피해를 주는 상태를 말한다. 국제 과학 저널인 『사이언스 어드밴스』의 '전 세계 빛 공해 지도'에 따르면, 우리나라는 빛 공해가 심각한 국가이다. 빛 공해는 멜라토닌 부족을 초래해 인간에게 수면 부족과 면역력 저하 등의 문제를 유발하고, 농작물의 생산량 저하, 생태계 교란 등의 문제를 일으킨다.

① 빛 공해의 정의를 제시하고 있다.
② 빛 공해의 주요 요인인 인공조명의 누출 원인을 제시하고 있다.
③ 자료를 인용하여 빛 공해가 심각한 국가로 우리나라를 제시하고 있다.
④ 사례를 들어 빛 공해의 악영향을 제시하고 있다.

05 ㉠, ㉡의 사례로 옳은 것만을 짝지은 것은?

용언의 불규칙활용은 크게 ㉠ 어간만 불규칙하게 바뀌는 부류, ㉡ 어미만 불규칙하게 바뀌는 부류, 어간과 어미 둘 다 불규칙하게 바뀌는 부류로 나눌 수 있다.

	㉠	㉡
①	걸음이 빠름	꽃이 노람
②	잔치를 치름	공부를 함
③	라면이 불음	합격을 바람
④	우물물을 품	목적지에 이름

06 ㉠~㉣의 의미로 적절하지 않은 것은?

> 二月ㅅ 보로매 아으 노피 ㉠ 현 燈ㅅ블 다호라
> 萬人 비취실 즈ᅀᅵ샷다 아으 動動다리
> 三月 나며 開ᄒᆞᆫ 아으 滿春 ᄃᆞᆯ욋고지여
> ᄂᆞᄆᆡ 브롤 ㉡ 즈ᅀᅳᆯ 디녀 나샷다 아으 動動다리
> 四月 아니 ㉢ 니저 아으 오실셔 곳고리새여
> ㉣ 므슴다 錄事니ᄆᆞᆫ 녯 나ᄅᆞᆯ 닛고신뎌 아으 動動다리
>
> – 작자 미상, 「動動」에서 –

① ㉠은 '켠'을 의미한다.
② ㉡은 '모습을'을 의미한다.
③ ㉢은 '잊어'를 의미한다.
④ ㉣은 '무심하구나'를 의미한다.

07 한자 표기가 옳은 것은?

① 그분은 냉혹한 현실(現室)을 잘 견뎌 냈다.
② 첫 손님을 야박(野薄)하게 대해서는 안 된다.
③ 그에게서 타고난 승부 근성(謹性)이 느껴진다.
④ 그는 평소 희망했던 기관에 채용(債用)되었다.

08 다음 토의에 대한 설명으로 적절하지 않은 것은?

> 사 회 자: 오늘의 토의 주제는 '통일 시대의 남북한 언어가 나아갈 길'입니다. 먼저 최○○ 교수님께서 '남북한 언어 차이와 의사소통'이라는 제목으로 발표해 주시겠습니다.
> 최 교수: 남한과 북한의 말은 비슷하지만 다른 점이 있습니다. 남한과 북한의 어휘 차이가 대표적입니다. 남한과 북한의 어휘 차이를 분석한 결과, … (중략) … 앞으로도 남북한 언어 차이에 대한 연구가 지속되어야 합니다.
> 사 회 자: 이로써 최 교수님의 발표를 마치겠습니다. 다음은 정○○ 박사님의 '남북한 언어의 동질성 회복 방안'에 대한 발표가 있겠습니다.
> 정 박사: 앞으로 통일을 대비해 남북한 언어의 다른 점을 줄여 나가는 노력이 필요합니다. 실제로도 남한과 북한의 학자들로 구성된 '겨레말큰사전 편찬위원회'에서는 남북한 공통의 사전인 『겨레말큰사전』을 만들며 서로의 차이를 이해하고 받아들이기 위한 노력을 하고 있습니다. … (중략) …
> 사 회 자: 그러면 질의응답이 있겠습니다. 시간상 간략하게 질문해 주시기 바랍니다.
> 청중 A: 두 분의 말씀 잘 들었습니다. 남북한 언어의 차이와 이를 극복하는 방안을 말씀하셨는데요. 그렇다면 통일 시대에 대비한 언어 정책에는 무엇이 있을까요?

① 학술적인 주제에 대해 발표 형식으로 진행되고 있다.
② 사회자는 발표자 간의 이견을 조정하여 의사결정을 유도하고 있다.
③ 발표자는 주제에 대한 자신의 견해를 밝혀 청중에게 정보를 제공하고 있다.
④ 청중 A는 발표자의 발표 내용을 확인하고 주제와 관련된 질문을 하고 있다.

09 ㉠~㉣은 '공손하게 말하기'에 대한 설명이다. ㉠~㉣을 적용한 B의 대답으로 적절하지 않은 것은?

> ㉠ 자신을 상대방에게 낮추어 겸손하게 말해야 한다.
> ㉡ 상대방의 처지를 고려하여 상대방이 부담을 갖지 않도록 말해야 한다.
> ㉢ 상대방이 관용을 베풀 수 있도록 문제를 자신의 탓으로 돌려 말해야 한다.
> ㉣ 상대방의 의견에서 동의하는 부분을 찾아 인정해 준 다음에 자신의 의견을 말해야 한다.

① ㉠ A: "이번에 제출한 디자인 시안 정말 멋있었어."
B: "아닙니다. 아직도 여러모로 부족한 부분이 많습니다."

② ㉡ A: "미안해요. 생각보다 길이 많이 막혀서 늦었어요."
B: "괜찮아요. 쇼핑하면서 기다리니 시간 가는 줄 몰랐어요."

③ ㉢ A: "혹시 내가 설명한 내용이 이해 가니?"
B: "네 목소리가 작아서 내용이 잘 안 들렸는데 다시 한 번 크게 말해 줄래?"

④ ㉣ A: "가원아, 경희 생일 선물로 귀걸이를 사주는 것은 어때?"
B: "그거 좋은 생각이네. 하지만 경희의 취향을 우리가 잘 모르니까 귀걸이 대신 책을 선물하는 게 어떨까?"

10 하버마스의 주장에 부합하는 사례로 가장 적절한 것은?

> 하버마스는 18세기부터 현대까지 미디어의 등장 배경과 발전 과정을 분석하면서, 공공 영역의 부상과 쇠퇴를 추적했다. 하버마스에게 공공 영역은 일반적 쟁점에 대한 토론과 의견을 형성하는 공공 토론의 민주적 장으로서 역할을 한다. 하버마스는 17세기와 18세기 유럽 도시의 살롱에서 당시의 공공 영역을 찾았다. 비록 소수의 사람들만이 살롱 토론 문화에 참여했으나, 공공 토론을 통해 정치적 문제를 해결하는 논리를 도입할 수 있었기 때문에 살롱이 초기 민주주의 발전에 중요한 역할을 했다고 그는 주장한다. 적어도 살롱 문화의 원칙에서 공개적 토론을 위한 공공 영역은 각각의 참석자들에게 동등한 자격을 부여했다.
> 그러나 하버마스에 따르면, 현대 사회에서 민주적 토론은 문화 산업의 발달과 함께 퇴보했다. 대중매체와 대중오락의 보급은 공공 영역이 공허해지는 원인으로 작용했다. 상업적 이해관계는 공공의 이해관계에 우선하게 되었다. 공공 여론은 개방적이고 합리적 토론을 통해서가 아니라 광고에서처럼 조작과 통제를 통해 형성되고 있다.
> 미디어가 점차 상업화되면서 하버마스가 주장한 대로 공공 영역이 침식당하고 있다. 상업화된 미디어는 광고 수입에 기대어 높은 시청률과 수익을 보장하는 콘텐츠 제작만을 선호하게 되었다. 그 결과 공적 주제에 대한 시민들의 논의와 소통의 장이 줄어들어 결과적으로 공공 영역이 축소되었다. 많은 것을 약속한 미디어는 이제 민주주의 문제의 일부로 변해 버린 것이다.

① 살롱 문화에서 특정 사회 계층에 대한 비판적인 토론은 허용되지 않았다.
② 인터넷의 발달과 보급은 상업적 광고뿐만 아니라 공익 광고도 증가시켰다.
③ 글로벌 미디어가 발달하더라도 국제 사회의 공공 영역은 공허해지지 않는다.
④ 수익성 위주의 미디어 플랫폼과 콘텐츠가 더 많아지면서 민주적 토론이 감소되었다.

11 ㉠~㉤의 전개 순서로 가장 자연스러운 것은?

> 폭설, 즉 대설이란 많은 눈이 시간적, 공간적으로 집중되어 내리는 현상을 말한다.
> ㉠ 그런데 눈은 한 시간 안에 5 cm 이상 쌓일 수 있어 순식간에 도심 교통을 마비시키는 위력을 가지고 있다.
> ㉡ 또한, 경보는 24시간 신적설이 20 cm 이상 예상될 때이다.
> ㉢ 다만, 산지는 24시간 신적설이 30 cm 이상 예상될 때 발령된다.
> ㉣ 이때 대설의 기준으로 주의보는 24시간 새로 쌓인 눈이 5 cm 이상이 예상될 때이다.
> ㉤ 이뿐만 아니라 운송, 유통, 관광, 보험을 비롯한 서비스 업종과 사회 전반에 영향을 미친다.

① ㉠ - ㉤ - ㉡ - ㉢ - ㉣
② ㉠ - ㉣ - ㉤ - ㉢ - ㉡
③ ㉣ - ㉡ - ㉢ - ㉠ - ㉤
④ ㉣ - ㉠ - ㉤ - ㉢ - ㉡

12 다음 글의 사례로 적절하지 않은 것은?

> 인간은 언어를 사용하며 언어는 인간의 사고, 사회, 문화를 반영한다. 인간의 지적 능력이 발달하게 된 것은 바로 언어를 사용하기 때문이다.
> 언어와 사고는 기본적으로 상호작용을 한다. 둘 중 어느 것이 먼저 발달하고 어떻게 영향을 주는지는 알 수 없다. 그러나 언어와 사고가 서로 깊은 관계를 맺고 있다는 사실은 여러 가지 근거를 통해서 뒷받침된다.

① 영어의 '쌀(rice)'에 해당하는 우리말에는 '모', '벼', '쌀', '밥' 등이 있다.
② 어떤 사람은 산도 파랗다고 하고, 물도 파랗다고 하고, 보행 신호의 녹색등도 파랗다고 한다.
③ 일상생활에서 어떠한 사물의 개념은 머릿속에서 맴도는데도 그 명칭을 떠올리지 못할 때가 있다.
④ 우리나라는 수박(watermelon)은 '박'의 일종으로 보지만 어떤 나라는 '멜론(melon)'에 가까운 것으로 파악한다.

13 다음 글의 주된 서술 방식은?

> 변지의가 천 리 길을 마다하지 않고 나를 찾아왔다. 내가 그 뜻을 물었더니, 문장 공부를 하기 위해 나를 찾아왔다고 했다. 때마침 이날 우리 아이들이 나무를 심었기에 그 나무를 가리켜 이렇게 말해 주었다.
> "사람이 글을 쓰는 것은 나무에 꽃이 피는 것과 같다. 나무를 심는 사람은 가장 먼저 뿌리를 북돋우고 줄기를 바로잡는 일에 힘써야 한다. …(중략)… 나무의 뿌리를 북돋아 주듯 진실한 마음으로 온갖 정성을 쏟고, 줄기를 바로잡듯 부지런히 실천하며 수양하고, 진액이 오르듯 독서에 힘쓰고, 가지와 잎이 돋아나듯 널리 보고 들으며 두루 돌아다녀야 한다. 그렇게 해서 깨달은 것을 헤아려 표현한다면 그것이 바로 좋은 글이요, 사람들이 칭찬을 아끼지 않는 훌륭한 문장이 된다. 이것이야말로 참다운 문장이라고 할 수 있다."

① 서사 ② 분류
③ 비유 ④ 대조

14 다음 글에 대한 이해로 적절하지 않은 것은?

> 언어마다 고유의 표기 체계가 있는데, 이는 읽기 과정에 영향을 미친다. 알파벳 언어는 표기 체계에 따라 철자 읽기의 명료성 수준이 달라진다. 철자 읽기가 명료하다는 것은 한 글자에 대응되는 소리가 규칙적이어서 글자와 소리의 대응이 거의 일대일이라는 것을 의미한다. 그 예로 이탈리아어와 스페인어가 있다. 이 두 언어의 사용자는 의미를 전혀 모르는 새로운 단어를 발견하더라도 보자마자 정확한 발음을 할 수 있다. 이에 비해 영어는 철자 읽기의 명료성이 낮은 언어이다. 영어는 발음이 아예 나지 않는 묵음과 같은 예외도 많은 편이고 글자에 대응하는 소리도 매우 다양하다.
>
> 한편 알파벳 언어를 읽을 때 사용하는 뇌의 부위는 유사하지만 뇌의 부위에 의존하는 방식에는 차이가 있다. 영어와 이탈리아어를 읽는 사람은 동일하게 좌반구의 읽기 네트워크를 사용한다. 하지만 무의미한 단어를 읽을 때 영어를 읽는 사람은 암기된 단어의 인출과 연관된 뇌 부위에 더 의존하는 반면 이탈리아어를 읽는 사람은 음운 처리에 연관된 뇌 부위에 더 의존한다. 왜냐하면 무의미한 단어를 읽을 때 이탈리아어를 읽는 사람은 규칙적인 음운 처리 규칙을 적용하는 반면에, 영어를 읽는 사람은 암기해 둔 수많은 예외들을 떠올리기 때문이다.

① 알파벳 언어의 철자 읽기는 소리와 표기의 대응과 관련되는데, 각 소리가 지닌 특성은 철자 읽기의 명료성을 판단하는 기준이 된다.

② 영어 사용자는 무의미한 단어를 읽을 때 좌반구의 읽기 네트워크를 활용하면서 암기된 단어의 인출과 연관된 뇌 부위에 더욱 의존한다.

③ 이탈리아어는 소리와 글자의 대응이 규칙적이어서 낯선 단어를 발음할 때 영어에 비해 철자 읽기의 명료성이 높다.

④ 영어는 음운 처리 규칙에 적용되지 않는 예외들이 많아서 스페인어에 비해 소리와 글자의 대응이 덜 규칙적이다.

15 (가)～(라)에 대한 이해로 적절하지 않은 것은?

> (가) 반중(盤中) 조홍(早紅)감이 고아도 보이ᄂᆞ다
> 유자 안이라도 품엄즉도 ᄒᆞ다마ᄂᆞᆫ
> 품어 가 반기리 업슬새 글노 설워ᄒᆞᄂᆞ이다
>
> (나) 동짓ᄃᆞᆯ 기나긴 밤을 한 허리를 버혀 내여
> 춘풍 니불 아래 서리서리 너헛다가
> 어론 님 오신 날 밤이여든 구뷔구뷔 펴리라
>
> (다) 말 업슨 청산(青山)이오 태(態) 업슨 유수(流水)로다
> 갑 업슨 청풍(淸風)이오 님ᄌᆞ 업슨 명월(明月)이로다
> 이 중에 병 업슨 이 몸이 분별 업시 늘그리라
>
> (라) 농암(籠巖)에 올라보니 노안(老眼)이 유명(猶明)이로다
> 인사(人事)이 변ᄒᆞᆫ들 산천이ᄯᆞᆫ 가샐가
> 암전(巖前)에 모수 모구(某水 某丘)이 어제 본 ᄃᆞᆺ ᄒᆞ예라

① (가)는 고사의 인용을 통해 돌아가신 부모님에 대한 그리움을 표현하고 있다.

② (나)는 의태적 심상을 통해 임에 대한 기다림을 표현하고 있다.

③ (다)는 대구와 반복을 통해 자연에 귀의하려는 의지를 표현하고 있다.

④ (라)는 자연과의 대조를 통해 허약해진 노년의 무력함을 표현하고 있다.

16 다음 글에 대한 이해로 가장 적절한 것은?

> 암소의 뿔은 수소의 그것보다도 한층 더 겸허하다. 이 애상적인 뿔이 나를 받을 리 없으니 나는 마음 놓고 그 곁 풀밭에 가 누워도 좋다. 나는 누워서 우선 소를 본다.
> 소는 잠시 반추를 그치고 나를 응시한다.
> '이 사람의 얼굴이 왜 이리 창백하냐. 아마 병인인가 보다. 내 생명에 위해를 가하려는 거나 아닌지 나는 조심해야 되지.'
> 이렇게 소는 속으로 나를 심리하였으리라. 그러나 오 분 후에는 소는 다시 반추를 계속하였다. 소보다도 내가 마음을 놓는다.
> 소는 식욕의 즐거움조차를 냉대할 수 있는 지상 최대의 권태자다. 얼마나 권태에 지질렸길래 이미 위에 들어간 식물을 다시 게워 그 시큼털털한 반소화물의 미각을 역설적으로 향락하는 체해 보임이리오?
> 소의 체구가 크면 클수록 그의 권태도 크고 슬프다. 나는 소 앞에 누워 내 세균 같이 사소한 고독을 겸손하면서 나도 사색의 반추는 가능할는지 불가능할는지 몰래 좀 생각해 본다.
> – 이상, 「권태」에서 –

① 대상의 행위를 통해 글쓴이의 심리가 투사되고 있다.
② 과거의 삶을 회상하며 글쓴이의 처지를 후회하고 있다.
③ 공간의 이동을 통해 글쓴이의 무료함을 표현하고 있다.
④ 현실에 대한 글쓴이의 불만이 반성적 어조로 표출되고 있다.

17 다음 글에서 '황거칠'이 처한 상황에 어울리는 한자성어로 가장 적절한 것은?

> 황거칠 씨는 더 참을 수가 없었다. 그는 거의 발작적으로 일어섰다.
> "이 개 같은 놈들아, 어쩌면 남이 먹는 식수까지 끊으려노?"
> 그는 미친 듯이 우르르 달려가서 한 인부의 괭이를 억지로 잡아서 저만큼 내동댕이쳤다.
> …(중략)…
> 경찰은 발포를 – 다행히 공포였지만 – 해서 겨우 군중을 해산시키고, 황거칠 씨와 청년 다섯 명을 연행해 갔다. 물론 강제집행도 일시 중단되었었다.
> 경찰에 끌려간 사람들은 밤에도 풀려나오지 못했다. 공무집행 방해에다, 산주의 권리행사 방해, 그리고 폭행죄까지 뒤집어쓰게 되었던 것이다. 그래서 그 이튿날도 풀려나오질 못했다. 쌍말로 썩어 갔다.
> 황거칠 씨는 모든 죄를 자기가 안아맡아서 처리하려고 했다. 그러나 그것이 뜻대로 되지 않았다. 면회를 오는 가족들의 걱정스런 얼굴을 보자, 황거칠 씨는 가슴이 아팠다. 그는 만부득이 담당 경사의 타협안에 도장을 찍기로 했다. 석방의 조건으로서, 다시는 강제집행을 방해하지 않겠다는 각서였다.
> 이리하여 황거칠 씨는 애써 만든 산수도를 포기하게 되고 '마삿등'은 한때 도로 물 없는 지대가 되고 말았다.
> – 김정한, 「산거족」에서 –

① 同病相憐
② 束手無策
③ 自家撞着
④ 輾轉反側

18 다음 글의 특징으로 가장 적절한 것은?

살아가노라면
가슴 아픈 일 한두 가지겠는가

깊은 곳에 뿌리를 감추고
흔들리지 않는 자기를 사는 나무처럼
그걸 사는 거다

봄, 여름, 가을, 긴 겨울을
높은 곳으로
보다 높은 곳으로, 쉬임 없이
한결같이

사노라면
가슴 상하는 일 한두 가지겠는가

— 조병화, 「나무의 철학」 —

① 문답법을 통해 과거의 삶을 반추하고 있다.
② 반어적 표현을 활용하여 슬픔의 정서를 나타내고 있다.
③ 사물을 의인화하여 현실을 목가적으로 보여 주고 있다.
④ 설의적 표현을 활용하여 삶의 깨달음을 강조하고 있다.

19 ㉠에 들어갈 말로 가장 적절한 것은?

한 민족이 지닌 문화재는 그 민족 역사의 누적일 뿐 아니라 그 누적된 민족사의 정수로서 이루어진 혼의 상징이니, 진실로 살아 있는 민족적 신상(神像)은 이를 두고 달리 없을 것이다. 더구나 국보로 선정된 문화재는 우리 민족의 성력(誠力)과 정혼(精魂)의 결정으로 그 우수한 질과 희귀한 양에서 무비(無比)의 보(寶)가 된 자이다. 그러므로 국보 문화재는 곧 민족 전체의 것이요, 민족을 결속하는 정신적 유대로서 민족의 힘의 원천이라 할 것이다.

로마는 하루아침에 만들어지지 않는다는 말도 그 과거 문화의 존귀함을 말하는 것이요, (㉠)는 말도 국보 문화재가 얼마나 힘 있는가를 밝힌 예증이 된다.

① 구르는 돌에는 이끼가 끼지 않는다
② 지식은 나눌 수 있지만 지혜는 나눌 수 없다
③ 사람은 겪어 보아야 알고 물은 건너 보아야 안다
④ 그 무엇을 내놓는다고 해도 셰익스피어와는 바꾸지 않는다

20 다음 글에서 추론한 내용으로 적절하지 않은 것은?

과학의 개념은 분류 개념, 비교 개념, 정량 개념으로 구분할 수 있다. 식물학과 동물학의 종, 속, 목처럼 분명한 경계를 가지고 대상들을 분류하는 개념들이 분류 개념이다. 어린이들이 맨 처음에 배우는 단어인 '사과', '개', '나무' 같은 것 역시 분류 개념인데, 하위 개념으로 분류할수록 그 대상에 대한 정보가 더 많이 전달된다. 또한, 현실 세계에 적용 대상이 하나도 없는 분류 개념도 있을 수 있다. 예를 들어 '유니콘'이라는 개념은 '이마에 뿔이 달린 말의 일종임' 같은 분명한 정의가 있기에 '유니콘'은 분류 개념으로 인정되는 것이다.

'더 무거움', '더 짧음' 등과 같은 비교 개념은 분류 개념보다 설명에 있어서 정보 전달에 더 효과적이다. 이것은 분류 개념처럼 자연의 사실에 적용되어야 하지만, 분류 개념과 달리 논리적 관계도 반드시 성립해야 한다. 예를 들면, 대상 A의 무게가 대상 B의 무게보다 더 무겁다면, 대상 B의 무게가 대상 A의 무게보다 더 무겁다고 말할 수 없는 것처럼 '더 무거움' 같은 비교 개념은 논리적 관계를 반드시 따라야 한다.

마지막으로 정량 개념은 비교 개념으로부터 발전된 것인데, 이것은 자연의 사실로부터 파악할 수 있는 물리량을 측정함으로써 만들어진다. 물리량을 측정하기 위해서는 몇 가지 규칙이 필요한데, 그 규칙에는 두 물리량의 크기를 비교하는 경험적 규칙과 물리량의 측정 단위를 정하는 규칙 등이 포함된다. 이러한 정량 개념은 자연에 의해서 주어지는 것이 아니라 우리가 자연현상에 수를 적용하는 과정에서 생겨나는 것이다. 정량 개념은 과학의 언어를 수많은 비교 개념 대신 수를 사용할 수 있게 하여 과학 발전의 기초가 되었다.

① '호랑나비'는 '나비'와 동일한 종에 속하지만, 나비에 비해 정보량이 적다.
② '용(龍)'은 현실 세계에 적용할 수 있는 지시물이 없더라도 분류 개념으로 인정된다.
③ '꽃'이나 '고양이'와 같은 개념은 논리적 관계를 따라야 하는 것은 아니기 때문에 비교 개념에 포함되지 않는다.
④ 물리량을 측정할 수 있는 'cm'나 'kg'과 같은 측정 단위는 자연현상에 수를 적용할 수 있게 해 주었다.

2021년 지방직 9급 국어 기출문제

01 밑줄 친 부분이 바르게 쓰이지 않은 것은?

① 바쁘다더니 여긴 웬일이야?
② 결혼식이 몇 월 몇 일이야?
③ 굳은살이 박인 오빠 손을 보니 안쓰럽다.
④ 그는 주말이면 으레 친구들과 야구를 한다.

02 밑줄 친 조사의 쓰임이 옳은 것은?

① 언니는 아버지의 딸로써 부족함이 없다.
② 대화로서 서로의 갈등을 풀 수 있을까?
③ 드디어 오늘로써 그 일을 끝내고야 말았다.
④ 시험을 치는 것이 이로서 세 번째가 됩니다.

03 단어의 뜻풀이가 옳지 않은 것은?

① 반나절: 하루 낮의 반
② 달포: 한 달이 조금 넘는 기간
③ 그끄저께: 오늘로부터 사흘 전의 날
④ 해거리: 한 해를 거른 간격

04 밑줄 친 부분과 바꿔 쓸 수 있는 관용 표현으로 적절하지 않은 것은?

① 몹시 가난한 형편에 누구를 돕겠느냐? – 가랑이가 찢어질
② 그가 중간에서 연결해 주어 물건을 쉽게 팔았다. – 호흡을 맞춰
③ 그는 상대편을 보고는 속으로 깔보며 비웃었다. – 코웃음을 쳤다
④ 주인의 말에 넘어가 실제보다 비싸게 이 물건을 샀다. – 바가지를 쓰고

05 ㉠~㉣에 대한 설명으로 옳지 않은 것은?

> 이때는 오월 단옷날이렷다. 일 년 중 가장 아름다운 시절이라. ㉠ 이때 월매 딸 춘향이도 또한 시서 음률이 능통하니 천중절을 모를쏘냐. 추천을 하려고 향단이 앞세우고 내려올 제, 난초같이 고운 머리 두 귀를 눌러 곱게 땋아 봉황 새긴 비녀를 단정히 매었구나. …(중략)… 장림 속으로 들어가니 ㉡ 녹음방초 우거져 금잔디 좌르르 깔린 곳에 황금 같은 꾀꼬리는 쌍쌍이 날아든다. 버드나무 높은 곳에서 그네 타려 할 때, 좋은 비단 초록 장옷, 남색 명주 홑치마 훨훨 벗어 걸어두고, 자주색 비단 꽃신을 썩썩 벗어 던져두고, 흰 비단 새 속옷 턱밑에 훨씬 추켜올리고, 삼 껍질 그넷줄을 섬섬옥수 넌지시 들어 두 손에 갈라 잡고, 흰 비단 버선 두 발길로 훌쩍 올라 발구른다. …(중략)… ㉢ 한 번 굴러 힘을 주며 두 번 굴러 힘을 주니 발밑에 작은 티끌 바람 좇아 펄펄, 앞뒤 점점 멀어 가니 머리 위의 나뭇잎은 몸을 따라 흔들흔들. 오고갈 제 살펴보니 녹음 속의 붉은 치맛자락 바람결에 내비치니, 높고 넓은 흰 구름 사이에 번갯불이 쏘는 듯 잠깐 사이에 앞뒤가 바뀌는구나. …(중략)… 무수히 진퇴하며 한참 노닐 적에 시냇가 반석 위에 옥비녀 떨어져 쟁쟁하고, '비녀, 비녀' 하는 소리는 산호채를 들어 옥그릇을 깨뜨리는 듯. ㉣ 그 형용은 세상 인물이 아니로다.
>
> – 작자 미상, 「춘향전」에서 –

① ㉠: 설의적 표현을 통해 춘향이도 천중절을 당연히 알 것이라는 점을 서술하고 있다.
② ㉡: 비유법을 사용하고 음양이 조화를 이룬 아름다운 봄날의 풍경을 서술하고 있다.
③ ㉢: 음성상징어를 사용하여 춘향의 그네 타는 모습을 시각적으로 서술하고 있다.
④ ㉣: 서술자의 편집자적 논평을 통해 춘향이의 내면적 아름다움을 서술하고 있다.

06 다음 대화에 대한 설명으로 적절한 것은?

A: 지난번 제안서 프레젠테이션을 마친 후 "검토하고 연락드리겠습니다."라고 답변을 받았는데 아직 별다른 연락이 없어서 고민이에요.
B: 어떤 연락을 기다리신다는 거예요?
A: 해당 사업에 관하여 제 제안서를 승낙했다는 답변이잖아요. 그런데 후속 사업 진행을 위해 지금쯤 연락이 와야 할 텐데 싶어서요.
B: 글쎄요. 보통 그런 상황에서는 완곡하게 거절하는 의사 표현이라 볼 수 있어요. 그리고 해당 고객이 제안서 내용은 정리가 잘되었지만, 요즘 같은 코로나 시기에는 이전과 동일한 사업적 효과가 있을지 궁금하다고 말한 것을 보면 알 수 있죠.
A: 네, 기억납니다. 하지만 궁금하다고 말한 것이지 사업을 수용하지 않는다는 것은 아니지 않나요? 답변을 할 때도 굉장히 표정도 좋고 박수도 쳤는데 말이죠. 목소리도 부드러웠고요.

① A와 B는 고객의 답변에 대해 제안서 승낙이라는 의미로 동일하게 이해한다.
② A는 동일한 사업적 효과가 있을지 궁금하다는 표현을 제안한 사업에 대한 부정적 평가라고 판단한다.
③ B는 고객이 제안서에 의문을 제기한 내용을 근거로 고객의 답변에 대해 판단한다.
④ A는 비언어적 표현을 바탕으로 하여 고객의 답변을 제안서에 대한 완곡한 거절로 해석한다.

07 다음 글의 내용과 부합하지 않는 것은?

무슈 리와 엄마는 재혼한 부부다. 내가 그를 아버지라고 부르기 어려운 것은 거의 그런 말을 발음해 본 적이 없는 습관의 탓이 크다.

나는 그를 좋아할뿐더러 할아버지 같은 이로부터 느끼던 것의 몇 갑절이나 강한 보호 감정 — 부친다움 같은 것도 느끼고 있다.

그러나 나는 그의 혈족은 아니다.

무슈 리의 아들인 현규와도 마찬가지다. 그와 나는 그런 의미에서는 순전한 타인이다. 스물두 살의 남성이고 열여덟 살의 계집아이라는 것이 진실의 전부이다. 왜 나는 이 일을 그대로 알아서는 안 되는가?

나는 그를 영원히 아무에게도 주기 싫다. 그리고 나 자신을 다른 누구에게 바치고 싶지도 않다. 그리고 우리를 비끄러매는 형식이 결코 '오누이'라는 것이어서는 안 될 것을 알고 있다.

나는 또 물론 그도 나와 마찬가지로 같은 일을 생각하고 있기를 바란다. 같은 일을 — 같은 즐거움일 수는 없으나 같은 이 괴로움을.

이 괴로움과 상관이 있을 듯한 어떤 조그만 기억, 어떤 조그만 표정, 어떤 조그만 암시도 내 뇌리에서 사라지는 일은 없다. 아아, 나는 행복해질 수는 없는 걸까? 행복이란, 사람이 그것을 위하여 태어나는 그 일을 말함이 아닌가?

초저녁의 불투명한 검은 장막에 싸여 짙은 꽃향기가 흘러든다. 침대 위에 엎드려서 나는 마침내 느껴 울고 만다.

– 강신재, 「젊은 느티나무」에서 –

① '나'는 '현규'도 '나'와 같은 감정을 갖고 있기를 기대하고 있다.
② '나'와 '현규'는 혈연적으로는 아무런 관계가 없는 타인이며, 법률상의 '오누이'일 뿐이다.
③ '나'는 '현규'에 대한 감정 때문에 '무슈 리'를 아버지로 부르는 것에 거부감을 갖고 있다.
④ '나'는 사회적 인습이나 도덕률보다는 '현규'에 대한 '나'의 감정에 더 충실해지고 싶어 한다.

08 글쓴이의 견해에 부합하는 대응으로 가장 적절한 것은?

> 정중하고 단호한 태도를 보이는 것과, 수동적이거나 공격적인 반응을 하는 것은 엄청난 차이가 있다. 수동적인 사람들은 마음속에 있는 자신의 생각을 표현하면 분란이 일어날까 봐 두려워한다. 그러나 자신의 의견을 말하지 않는 한 자신이 원하는 것을 얻을 수는 없다. 이와 반대로 공격적인 태도는 자신의 권리를 앞세워 생각해서 남을 희생시켜서라도 자신이 원하는 것을 얻으려는 것이다. 공격적인 사람은 사람들이 싫어하는 행동을 하곤 한다. 그러나 단호한 반응은 공격적인 반응과 다르다. 단호한 반응은 다른 사람의 권리를 침해하지 않으면서 자신의 권리를 존중하고 지키겠다는 것이다. 이것은 상대방을 배려하는 태도를 보여 준다. 상대방을 존중하면서도 얼마든지 자신의 의견을 내세울 수 있다. 단호한 주장은 명쾌하고 직접적이며 요점을 찌른다.
>
> 그럼 실제로 연습해 보자. 어느 흡연자가 당신의 차 안에서 담배를 피워도 되는지 묻는다. 당신은 담배 연기를 싫어하고 건강에 해롭다는 것도 잘 알고 있어 달갑지 않다. 어떻게 대응하는 것이 좋을까?

① 좀 그러긴 하지만, 괜찮아요. 창문 열고 피우세요.
② 안 되죠. 흡연이 얼마나 해로운데요. 좀 참아 보시겠어요.
③ 안 피우시면 좋겠어요. 연기가 해롭잖아요. 피우고 싶으시면 차를 세워 드릴게요.
④ 물어봐 줘서 고마워요. 피워도 그렇고 안 피워도 좀 그러네요. 생각해 보시고서 좋은 대로 결정하세요.

09 (가)에 들어갈 한자성어로 적절한 것은?

> "집안 내력을 알고 보믄 동기간이나 진배없고, 성환이도 이자는 대학생이 됐으니께 상의도 오빠겉이 그렇게 알아놔라."하고 장씨 아저씨는 말하는 것이었다. 그러나 상의는 처음 만났을 때도 그랬지만 두 번째도 거부감을 느꼈다. 사람한테 거부감을 느꼈기보다 제복에 거부감을 느꼈는지 모른다. 학교규칙이나 사회의 눈이 두려웠는지 모른다. 어쨌거나 그들은 청춘남녀였으니까. 호야 할매 입에서도 성환의 이름이 나오기론 이번이 처음이 아니었다.
>
> "　　(가)　　, 손주 때문에 눈물로 세월을 보내더니, 이자는 성환이도 대학생이 되었으니 할매가 원풀이 한풀이를 다 했을 긴데 아프기는 와 아프는고, 옛말 하고 살아야 하는 긴데."
>
> – 박경리, 「토지」에서 –

① 오매불망(寤寐不忘)
② 망운지정(望雲之情)
③ 염화미소(拈華微笑)
④ 백아절현(伯牙絶絃)

10 (가)와 (나)에 대한 설명으로 적절하지 않은 것은?

(가) 오백년 도읍지를 필마로 돌아드니
산천은 의구하되 인걸은 간 데 없네.
어즈버 태평연월이 꿈이런가 하노라.

(나) 벌레먹은 두리기둥 빛 낡은 단청(丹青) 풍경 소리 날러간 추녀 끝에는 산새도 비둘기도 둥주리를 마구쳤다. 큰 나라 섬기다 거미줄 친 옥좌(玉座) 위엔 여의주(如意珠) 희롱하는 쌍룡(雙龍) 대신에 두 마리 봉황(鳳凰)새를 틀어올렸다. 어느 땐들 봉황이 울었으랴만 푸르른 하늘 밑 추석을 밟고 가는 나의 그림자. 패옥(佩玉) 소리도 없었다. 품석(品石) 옆에서 정일품(正一品) 종구품(從九品) 어느 줄에도 나의 몸둘 곳은 바이 없었다. 눈물이 속된 줄을 모를 양이면 봉황새야 구천(九泉)에 호곡(呼哭)하리라.

① (가)는 '산천'과 '인걸'을 대비함으로써 인생의 무상함을 드러내고 있다.
② (나)는 '쌍룡'과 '봉황'을 대비함으로써 사대주의적 역사에 대한 비판적 시각을 드러내고 있다.
③ (가)와 (나) 모두 선경후정의 기법을 사용하고 있다.
④ (가)와 (나) 모두 정해진 율격과 음보에 맞춰 시상을 전개하고 있다.

11 다음 글의 내용과 부합하는 것은?

미국의 어머니들은 자녀와 함께 놀이를 할 때 특정 사물에 초점을 맞추고 그 사물의 속성을 아이들에게 가르친다. 사물의 속성 자체에 관심을 기울이도록 훈련받은 아이들은 스스로 독립적인 행동을 하도록 교육받는다. 미국에서는 아이들에게 의사소통을 가르칠 때 자신의 생각을 분명하게 표현하고 말하는 사람의 입장에서 대화에 임해야 하며, 대화 과정에서 오해가 발생하면 그것은 말하는 사람의 잘못이라고 강조한다.

반면에 일본의 어머니들은 대상의 '감정'에 특별히 신경을 써서 가르친다. 특히 자녀가 말을 안 들을 때에 그러하다. 예를 들어 "네가 밥을 안 먹으면, 고생한 농부 아저씨가 얼마나 슬프겠니?", "인형을 그렇게 던져 버리다니, 저 인형이 울잖아. 담장도 아파하잖아." 같은 말들로 꾸중하는 모습을 자주 볼 수 있다. 다른 사람과의 관계에 초점을 맞춘 훈련을 받은 아이들은 자신의 생각을 드러내기보다는 행동에 영향을 받는 다른 사람들의 감정을 미리 예측하도록 교육받는다. 곧 일본에서는 아이들에게 듣는 사람의 입장에서 말할 것을 강조한다.

① 미국의 어머니는 듣는 사람의 입장, 일본의 어머니는 말하는 사람의 입장을 강조한다.
② 일본의 어머니는 사물의 속성을 아는 것이 관계를 아는 것보다 더 중요하다고 생각한다.
③ 미국의 어머니는 어떤 일을 있는 그대로 보지 말고 이면에 있는 감정을 읽어야 한다고 생각한다.
④ 미국의 어머니는 자녀가 독립적인 행동을 하도록 교육하며, 일본의 어머니는 자녀가 타인의 감정을 예측하도록 교육한다.

12 다음 글의 결론으로 가장 적절한 것은?

> 인공지능(AI)은 비즈니스 패러다임을 획기적으로 바꾸고 있다. 인공지능은 생물학 분야에도 광범위하게 영향을 미칠 것이며, 애완동물이 인공지능(AI)으로 대체될 수도 있을 것이다. 인공지능(AI)은 스스로 수학도 풀고 글도 쓰고 바둑을 두며 사람을 이길 수도 있다. 어느 영화에서처럼 실제로 인간관계를 대신할 수도 있다. 인공지능(AI)은 배우면서 성장할 수도 있다. 인공지능(AI)이 사람보다 똑똑해질 수 있을지도 모른다.
>
> 인공지능(AI)이 사람보다 똑똑해질 수 있는지는 차치하고, 인공지능(AI)이 사람을 게으르게 만들 수도 있지 않을까? 이 게으름은 우리의 건강과 행복, 그리고 일상생활의 패턴을 바꿔 놓을 수도 있다.
>
> 인공지능(AI)이 앱을 통해 좀 더 편리한 삶을 제공하여 사람의 뇌를 어떻게 바꾸는지를 일상에서 보여 주는 대표적 사례가 바로 GPS다. 불과 몇 년 전만 해도 지도를 보고 스스로 거리를 가늠하고 도착 시간을 계산했던 운전자들은 이 내비게이션의 등장으로 어디에서 어떻게 가라는 기계 속 음성에 전적으로 의존하기 시작했다. 예전의 방식으로도 충분히 잘 찾아가던 길에서조차 습관적으로 내비게이션을 켠다. 이것이 없으면 자주 다니던 길도 제대로 찾지 못하고 멀쩡한 어른도 길을 잃는다.
>
> 이와 같이 기계에 의존해서 인간이 살아가는 사례는 오늘날 우리의 두뇌가 게을러진 것을 보여 주는 여러 사례 가운데 하나일 뿐이다. 삶을 더 편하게 해 준다며 지름길을 제시하는 도구들이 도리어 우리의 기억력과 창조력을 퇴보시키고 있다. 인간을 태만하고 나태하게 만들어 뇌의 가장 뛰어난 영역인 상상력을 활용하지 않도록 만드는 것이다.

① 인간의 인공지능(AI)에 대한 독립성은 지속적으로 증가하게 될 것이다.
② 인공지능(AI)으로 인해 인간의 두뇌가 게을러지는 부작용이 발생하게 될 것이다.
③ 인공지능(AI)은 인간을 능가하는 사고력을 가질 것이다.
④ 인공지능(AI)은 궁극적으로 상상력을 가지게 될 것이다.

13 다음 글에 대한 이해로 적절한 것은?

> 국제기구인 유엔은 영어, 중국어, 러시아어, 프랑스어, 스페인어, 아랍어 등이 공용어로 사용되나 그곳에 근무하는 모든 외교관들이 이 공용어들을 전부 다 잘해야 하는 것은 아니다. 유럽연합에서의 공용어 개념도 유엔에서의 경우와 마찬가지로 여러 공용어 중 하나만 알아도 공식 업무상 불편이 없게끔 한다는 것이지 모든 유럽연합인들이 열 개가 넘는 공용어를 전부 다 배워야 하는 것은 아니다.
>
> 마찬가지 논리로 우리가 만일 한국어와 영어를 공용어로 지정한다면 이는 한국에서는 한국어와 영어 중 어느 하나를 알기만 하면 공식 업무상 불편이 없게끔 국가에서 보장한다는 뜻이지 모든 한국인들이 영어를 할 줄 알아야 된다는 뜻은 아니다. 따라서 우리가 영어를 한국어와 함께 공용어로 지정하기만 하면 모든 한국인이 영어를 잘할 수 있게 되리라는 믿음은 공용어의 개념을 제대로 이해하지 못한 데서 오는 망상에 불과하다.

① 유엔에서 근무하는 외교관들은 유엔의 공용어를 다 구사하지 않으면 안 된다.
② 유럽연합은 복수의 공용어를 지정하여 공무상 편의를 도모하였다.
③ 한국에서 영어를 공용어로 지정하면 한국인들은 영어를 다 잘할 수 있을 것이다.
④ 한국에서 머지않아 영어가 공용어로 지정될 것이다.

14 다음 글의 내용과 부합하지 않는 것은?

> 인터넷이 있는 곳이면 어디나 악플이 있기 마련이지만, 한국은 정도가 심하다. 악플러들 가운데는 피해의식과 열등감에 시달리는 이들이 많다고 한다. 그들에게 악플의 즐거움은 무엇인가. 자신이 올린 글 한 줄에 다른 사람들이 동요하는 모습을 보면서 자기 효능감(self-efficacy)을 맛볼 수 있다. 아무에게도 영향력을 행사하지 못하고 자신의 삶과 환경을 통제하지도 못하면서 무력감에 시달리는 사람일수록 공격적인 발설로 자기 효능감을 느끼려 한다.
>
> 그런데 자기 효능감은 상대방의 반응에 좌우된다. 마구 욕을 퍼부었는데 상대방이 별로 개의치 않는다면, 계속할 마음이 사라질 것이다. 무시당했다는 생각에 오히려 자괴감에 빠질 수도 있다. 개인주의가 안착된 사회에서는 자신을 향한 비판에 대해 '그건 너의 생각'이라면서 넘겨버리는 사람들이 많다. 말도 안 되는 욕설이나 험담이 날아오면 제정신이 아닌 사람의 소행으로 웃어넘기거나 법적인 조치를 취할 것이다.
>
> 개인주의는 여러 속성을 지니고 있지만, 자신의 존재 가치를 스스로 매긴다는 긍정적 측면이 있다. 한국에는 그런 의미에서의 개인주의가 뿌리내리지 못했다. 남에 대해 신경을 너무 곤두세운다. 그것은 두 가지 차원으로 나뉘는데, 한편으로 타인에게 필요 이상의 관심을 보이면서 참견하고 타인의 영역을 침범한다. 다른 한편으로 자기에 대한 타인의 평가와 반응에 너무 예민하다. 이 두 가지 특성이 인터넷 공간에서 맞물려 악플을 양산한다. 우선 다른 사람들에게 너무 쉽게 험담을 늘어놓고 당사자에게 악담을 던진다. 그렇게 약을 올리면 상대방이 발끈하거나 움츠러든다. 이따금 일파만파로 사회가 요동을 치기도 한다. 악플러 입장에서는 재미가 쏠쏠하다. 예상했던 피드백을 즉각적으로 받으면서 자기 효능감을 맛볼 수 있기 때문이다.

① 악플러는 자신의 말에 타인이 동요하는 것을 보면서 자기 효능감을 느낀다.
② 개인주의자는 악플에 무반응함으로써 악플러를 자괴감에 빠지게 할 수 있다.
③ 자신의 삶을 잘 통제하는 악플러일수록 타인을 더욱 엄격한 잣대로 비판한다.
④ 한국에서 악플이 양산되는 것은 한국인들이 타인에 대해 신경을 많이 쓰는 것과 관계가 있다.

15 다음 글의 밑줄 친 부분이 지시하는 대상이 다른 것은?

> 수박을 먹는 기쁨은 우선 식칼을 들고 이 검푸른 ㉠ 구형의 과일을 두 쪽으로 가르는 데 있다. 잘 익은 수박은 터질 듯이 팽팽해서, 식칼을 반쯤만 밀어 넣어도 나머지는 저절로 열린다. 수박은 천지개벽하듯이 갈라진다. 수박이 두 쪽으로 벌어지는 순간, '앗!' 소리를 지를 여유도 없이 초록은 ㉡ 빨강으로 바뀐다. 한 번의 칼질로 이처럼 선명하게도 세계를 전환시키는 사물은 이 세상에 오직 수박뿐이다. 초록의 껍질 속에서, ㉢ 새까만 씨앗들이 별처럼 박힌 선홍색의 바다가 펼쳐지고, 이 세상에 처음 퍼져나가는 비린 향기가 마루에 가득 찬다. 지금까지 존재하지 않던, ㉣ 한바탕의 완연한 아름다움의 세계가 칼 지나간 자리에서 홀연 나타나고, 나타나서 먹히기를 기다리고 있다. 돈과 밥이 나오지 않았다 하더라도, 이것은 필시 흥부의 박이다.
>
> – 김훈, 「수박」에서 –

① ㉠ ② ㉡
③ ㉢ ④ ㉣

16 (가) ~ (라)에 들어갈 말로 가장 적절한 것은?

> 정철, 윤선도, 황진이, 이황, 이조년 그리고 무명씨. 우리말로 시조나 가사를 썼던 이들이다. 황진이는 말할 것도 없고 무명씨도 대부분 양반이 아니었겠지만 정철, 윤선도, 이황은 양반 중에 양반이었다. (가) 그들이 우리말로 작품을 썼던 걸 보면 양반들도 한글 쓰는 것을 즐겨 했다는 것을 부정할 수는 없다. (나) 허균이나 김만중은 한글로 소설까지 쓰지 않았던가. (다) 이들이 특별한 취향을 가진 소수의 양반이었다면 이야기는 달라진다. 우리말로 된 문학 작품을 만들겠다는 생각을 가진 특별한 양반들을 제외하고 대다수 양반들은 한문을 썼기 때문에 한글을 모를 수도 있었기 때문이다. 실학자 박지원이 당시 양반 사회를 풍자한 작품 「호질」은 한문으로 쓰여 있다. (라) 한 가지 분명한 것은 양반 대부분이 한글을 이해하지 못하는 상황이었다면 정철도 이황도 윤선도도 한글로 작품을 쓰지는 않았을 것이란 사실이다.

	(가)	(나)	(다)	(라)
①	그런데	게다가	그렇지만	그러나
②	그런데	그리고	그래서	또는
③	그리고	그러나	하지만	즉
④	그래서	더구나	따라서	하지만

17 (가)~(라)의 고쳐 쓰기 방안으로 적절하지 않은 것은?

> (가) 현재 우리 구청 조직도에는 기획실, 홍보실, 감사실, 행정국, 복지국, 안전국, 보건소가 있었다.
> (나) 오늘은 우리 시청이 지양하는 '누구나 행복한 ○○시'를 실현하기 위한 추진 방안을 논의합니다.
> (다) 지난달 수해로 인한 준비 기간이 짧았기 때문에 지역 축제는 예년보다 규모가 줄어들었다.
> (라) 공과금을 기한 내에 지정 금융 기관에 납부하지 않으면 연체료를 내야 한다.

① (가): '있었다'는 문맥상 시제 표현이 적절하지 않으므로 '있다'로 고쳐 쓴다.
② (나): '지양'은 어떤 목표로 뜻이 쏠리어 향한다는 의미인 '지향'으로 고쳐 쓴다.
③ (다): '지난달 수해로 인한'은 '준비 기간'을 수식하는 절이 아니므로 '지난달 수해로 인하여'로 고쳐 쓴다.
④ (라): '납부'는 맥락상 금융 기관이 돈이나 물품 따위를 받아 거두어들인다는 '수납'으로 고쳐 쓴다.

18 다음 글을 잘못 이해한 것은?

> 서연: 여보게, 동연이.
> 동연: 왜?
> 서연: 자네가 본뜨려는 부처님 형상은 누가 언제 그렸는지 몰라도 흔히 있는 것을 베껴 놓은 걸세. 그런데 자네는 그 형상을 또다시 베껴 만들 작정이군. 자넨 의심도 없는가? 심사숙고해 보게. 그런 형상이 진짜 부처님은 아닐세.
> 동연: 나에겐 전혀 의심이 없네.
> 서연: 의심이 없다니……?
> 동연: 무엇 때문에 의심해서 아까운 시간을 낭비해야 하는가?
> 서연: 음…….
> 동연: 공부를 하게, 괜히 의심 말고! (허공에 걸려 있는 탱화를 가리키며) 자넨 얼마나 형상 공부를 했는가? 이 십일면관세음보살의 머리 위에는 열한 개의 얼굴들이 있는데, 그 얼굴 하나하나를 살펴나 봤었는가? 귀고리, 목걸이, 손에 든 보병과 기현화란 꽃의 형태를 꼼꼼히 연구했었는가? 자네처럼 게으른 자들은 공부는 안 하고, 아무 의미 없다 의심만 하지!
> 서연: 자넨 정말 열심히 공부했네. 그렇다면 그 형태 속에 부처님 마음은 어디 있는지 가르쳐 주게.
>
> – 이강백, 「느낌, 극락 같은」에서 –

① 불상 제작에 대한 동연과 서연의 입장은 다르다.
② 서연은 전해지는 부처님 형상을 의심하는 인물이다.
③ 동연은 부처님 형상을 독창적으로 제작하는 인물이다.
④ 동연과 서연의 대화는 예술에 있어서 형식과 내용의 논쟁을 연상시킨다.

19 글의 통일성을 고려할 때 (가)에 들어갈 말로 가장 적절한 것은?

> 혼정신성(昏定晨省)이란 저녁에는 부모님의 잠자리를 봐 드리고 아침에는 문안을 드린다는 뜻으로 자식이 아침저녁으로 부모의 안부를 물어 살핌을 뜻하는 말로 '예기(禮記)'의 '곡례편(曲禮篇)'에 나오는 말이다. 아랫목 요에 손을 넣어 방 안 온도를 살피면서 부모님께 문안을 드리던 우리의 옛 전통은 온돌을 통한 난방 방식과 관련 깊다. 온돌을 통한 난방 방식은 방바닥에 깔려 있는 돌이 열기로 인해 뜨거워지고, 뜨거워진 돌의 열기로 방바닥이 뜨거워지면 방 전체에 복사열이 전달되는 방법이다. 방바닥 쪽의 차가운 공기는 온돌에 의해 따뜻하게 데워지므로 위로 올라가고, 위로 올라간 공기가 다시 식으면 아래로 내려와 다시 데워져 위로 올라가는 대류 현상으로 인해 결국 방 전체가 따뜻해진다. 벽난로를 통한 서양식의 난방 방식은 복사열을 이용하여 상체와 위쪽 공기를 데우는 방식인데, 대류 현상으로 바닥 바로 위 공기까지는 따뜻해지지 않는다. 그 이유는 [(가)].

① 벽난로에 의한 난방은 방바닥의 따뜻한 공기가 위로 올라가 식으면 복사열로 위쪽의 공기만을 따뜻하게 하기 때문이다
② 벽난로에 의한 난방이 복사열에 의한 난방에서 대류 현상으로 인한 난방이라는 순서로 이루어졌기 때문이다
③ 대류 현상을 통한 난방 방식은 상체와 위쪽의 공기만 따뜻하게 하기 때문이다
④ 상체와 위쪽의 따뜻한 공기는 차가운 바닥으로 내려오지 않기 때문이다

20 다음 글에서 추론할 수 있는 것은?

포도주는 유럽 문명을 대표하는 술이자 동시에 음료수다. 우리는 대개 포도주를 취하기 위해 마시는 술로만 생각하기 쉬우나 유럽에서는 물 대신 마시는 '음료수'로서의 역할이 크다. 유럽의 많은 지역에서는 물이 워낙 안 좋아서 맨 물을 그냥 마시면 위험하기 때문에 제조 과정에서 안전성이 보장된 포도주나 맥주를 마시는 것이다. 이런 용도로 일상적으로 마시는 식사용 포도주로는 당연히 고급 포도주와는 다른 저렴한 포도주가 쓰이며, 술이 약한 사람들은 여기에 물을 섞어서 마시기도 한다.

소비의 확대와 함께, 포도주의 생산을 다른 지역으로 확산시키려는 노력도 계속되어 왔다. 포도주 생산의 확산에서 가장 큰 문제는 포도 재배가 추운 북쪽 지역으로 확대되기 힘들다는 점이다. 자연 상태에서는 포도가 자라는 북방 한계가 이탈리아 정도에서 멈춰야 했지만, 중세 유럽에서 수도원마다 온갖 노력을 기울인 결과 포도 재배가 상당히 북쪽까지 올라갔다. 대체로 대서양의 루아르강 하구로부터 크림반도와 조지아를 잇는 선이 상업적으로 포도를 재배할 수 있는 북방한계선이다.

적정한 기온은 포도주 생산 가능 여부뿐 아니라 생산된 포도주의 질을 결정하는 중요한 요인이다. 너무 추운 지역이나 너무 더운 지역에서는 포도주의 품질이 떨어질 수밖에 없다. 추운 지역에서는 포도에 당분이 너무 적어서 그것으로 포도주를 담그면 신맛이 강하게 된다. 반면 너무 더운 지역에서는 섬세한 맛이 부족해서 '흐물거리는' 포도주가 생산된다(그 대신 이를 잘 활용하면 포르토나 셰리처럼 도수를 높인 고급 포도주를 만들 수 있다). 그러므로 고급 포도주 주요 생산지는 보르도나 부르고뉴처럼 너무 덥지도 않고 너무 춥지도 않은 곳이다. 다만 달콤한 백포도주의 경우는 샤토 디켐(Château d'Yquem)처럼 뜨거운 여름 날씨가 지속하는 곳에서 명품이 만들어진다.

포도주의 수요는 전 유럽적인 데 비해 생산은 이처럼 지리적으로 제한됐기 때문에 포도주는 일찍부터 원거리 무역 품목이 됐고, 언제나 고가품 취급을 받았다. 그런데 한 가지 기억해야 할 점은 이렇게 수출되는 고급 포도주는 오래된 포도주가 아니라 바로 그해에 만든 술이라는 점이다. 우리는 포도주는 오래될수록 좋아진다고 믿는 경향이 있지만, 대부분의 백포도주 혹은 중급 이하 적포도주는 시간이 지날수록 오히려 품질이 떨어진다. 시간이 흐를수록 품질이 개선되는 것은 일부 고급 적포도주에만 한정된 이야기이며, 그나마 포도주를 병에 담아 코르크 마개를 끼워 보관한 이후의 일이다.

① 고급 포도주는 모두 너무 덥지도 춥지도 않은 곳에서 재배된 포도로 만들어졌다.

② 루아르강 하구로부터 크림반도와 조지아를 잇는 선은 이탈리아보다 남쪽에 있을 것이다.

③ 유럽에서 일상적으로 마시는 식사용 포도주는 저렴한 포도주거나 고급 포도주에 물을 섞은 것이다.

④ 병에 담겨 코르크 마개를 끼운 고급 백포도주는 보관 기간에 비례하여 품질이 개선되지는 않을 것이다.

박혜선 교수

약력
고려대학교 국어국문학과 수석 졸업
고려대학교 국어국문학과 심화 전공
정교사 2급 자격증
前 산에듀 국어영역 대표강사
現 박문각공무원 온라인 오프라인 강사

출간 책
박혜선 역공국어 NEW 문법 쌍끌이(박문각출판)
박혜선 역공국어 NEW 문학 쌍끌이(박문각출판)
박혜선 역공국어 NEW 비문학 쌍끌이(박문각출판)
박혜선 혜선국어 NETclass 동형모의고사(박문각출판)

네이버 카페
https://cafe.naver.com/yeokkonghyesun

NETclass 동형모의고사

합격기준 박문각 공무원

혜선 국어 문제편 #1

초판 인쇄 2021년 10월 20일 | **초판 발행** 2021년 10월 25일
편저 박혜선 | **발행인** 박 용 | **발행처** (주)박문각출판
등록 2015년 4월 29일 제2015-000104호
주소 06654 서울시 서초구 효령로 283 서경 B/D 4층
팩스 (02)584-2927 | **전화** 교재 주문 (02)6466-7202

저자와의 협의하에 인지생략

정가 15,000원

ISBN 979-11-6704-306-1
ISBN 979-11-6704-305-4(세트)

Memo

9급 공무원 공개경쟁채용시험 필기시험 답안지

컴퓨터용 흑색사인펜만 사용	
책형	【필적감정용 기재】 * 아래 예시문을 옮겨 적으시오 본인은 ○○○(응시자성명)임을 확인함 기 재 란
●	
●	

성 명	
자필성명	본인 성명 기재
응시직렬	
응시지역	
시험장소	

응 시 번 호							
⓪	⓪	⓪	⓪	⓪	⓪	⓪	⓪
①	①	①	①	①	①	①	①
②	②	②	②	②	②	②	②
③	③	③	③	③	③	③	③
④	④	④	④	④	④	④	④
⑤	⑤	⑤	⑤	⑤	⑤	⑤	⑤
⑥	⑥	⑥	⑥	⑥	⑥	⑥	⑥
⑦	⑦	⑦	⑦	⑦	⑦	⑦	⑦
⑧	⑧	⑧	⑧	⑧	⑧	⑧	⑧
⑨	⑨	⑨	⑨	⑨	⑨	⑨	⑨

생 년 월 일					
⓪	⓪	⓪	⓪	⓪	⓪
	①	①	①	①	①
	②		②	②	②
	③		③	③	③
	④		④		④
⑤	⑤		⑤		⑤
⑥	⑥		⑥		⑥
⑦	⑦		⑦		⑦
⑧	⑧		⑧		⑧
⑨	⑨		⑨		⑨

※ 시험감독관 서명 (성명을 정자로 기재할 것)	적색 볼펜만 사용

문번	제1회 모의고사	문번	제2회 모의고사	문번	제3회 모의고사	문번	제4회 모의고사	문번	제5회 모의고사
1	① ② ③ ④	1	① ② ③ ④	1	① ② ③ ④	1	① ② ③ ④	1	① ② ③ ④
2	① ② ③ ④	2	① ② ③ ④	2	① ② ③ ④	2	① ② ③ ④	2	① ② ③ ④
3	① ② ③ ④	3	① ② ③ ④	3	① ② ③ ④	3	① ② ③ ④	3	① ② ③ ④
4	① ② ③ ④	4	① ② ③ ④	4	① ② ③ ④	4	① ② ③ ④	4	① ② ③ ④
5	① ② ③ ④	5	① ② ③ ④	5	① ② ③ ④	5	① ② ③ ④	5	① ② ③ ④
6	① ② ③ ④	6	① ② ③ ④	6	① ② ③ ④	6	① ② ③ ④	6	① ② ③ ④
7	① ② ③ ④	7	① ② ③ ④	7	① ② ③ ④	7	① ② ③ ④	7	① ② ③ ④
8	① ② ③ ④	8	① ② ③ ④	8	① ② ③ ④	8	① ② ③ ④	8	① ② ③ ④
9	① ② ③ ④	9	① ② ③ ④	9	① ② ③ ④	9	① ② ③ ④	9	① ② ③ ④
10	① ② ③ ④	10	① ② ③ ④	10	① ② ③ ④	10	① ② ③ ④	10	① ② ③ ④
11	① ② ③ ④	11	① ② ③ ④	11	① ② ③ ④	11	① ② ③ ④	11	① ② ③ ④
12	① ② ③ ④	12	① ② ③ ④	12	① ② ③ ④	12	① ② ③ ④	12	① ② ③ ④
13	① ② ③ ④	13	① ② ③ ④	13	① ② ③ ④	13	① ② ③ ④	13	① ② ③ ④
14	① ② ③ ④	14	① ② ③ ④	14	① ② ③ ④	14	① ② ③ ④	14	① ② ③ ④
15	① ② ③ ④	15	① ② ③ ④	15	① ② ③ ④	15	① ② ③ ④	15	① ② ③ ④
16	① ② ③ ④	16	① ② ③ ④	16	① ② ③ ④	16	① ② ③ ④	16	① ② ③ ④
17	① ② ③ ④	17	① ② ③ ④	17	① ② ③ ④	17	① ② ③ ④	17	① ② ③ ④
18	① ② ③ ④	18	① ② ③ ④	18	① ② ③ ④	18	① ② ③ ④	18	① ② ③ ④
19	① ② ③ ④	19	① ② ③ ④	19	① ② ③ ④	19	① ② ③ ④	19	① ② ③ ④
20	① ② ③ ④	20	① ② ③ ④	20	① ② ③ ④	20	① ② ③ ④	20	① ② ③ ④

9급 공무원 공개경쟁채용시험 필기시험 답안지

컴퓨터용 흑색사인펜만 사용

책형
●
●

【필적감정용 기재】
*아래 예시문을 옮겨 적으시오

본인은 ○○○(응시자성명)임을 확인함

기 재 란

성 명	
자필성명	본인 성명 기재
응시직렬	
응시지역	
시험장소	

응 시 번 호							
⓪	⓪	⓪	⓪	⓪	⓪	⓪	⓪
①	①	①	①	①	①	①	①
②	②	②	②	②	②	②	②
③	③	③	③	③	③	③	③
④	④	④	④	④	④	④	④
⑤	⑤	⑤	⑤	⑤	⑤	⑤	⑤
⑥	⑥	⑥	⑥	⑥	⑥	⑥	⑥
⑦	⑦	⑦	⑦	⑦	⑦	⑦	⑦
⑧	⑧	⑧	⑧	⑧	⑧	⑧	⑧
⑨	⑨	⑨	⑨	⑨	⑨	⑨	⑨

생 년 월 일					
⓪	⓪	⓪	⓪	⓪	⓪
	①	①	①	①	①
	②		②	②	②
	③		③	③	③
	④		④		④
⑤	⑤		⑤		⑤
⑥	⑥		⑥		⑥
⑦	⑦		⑦		⑦
⑧	⑧		⑧		⑧
⑨	⑨		⑨		⑨

※ 시험감독관 서명
(성명을 정자로 기재할 것)

적색 볼펜만 사용

문번	제6회 모의고사			
1	①	②	③	④
2	①	②	③	④
3	①	②	③	④
4	①	②	③	④
5	①	②	③	④
6	①	②	③	④
7	①	②	③	④
8	①	②	③	④
9	①	②	③	④
10	①	②	③	④
11	①	②	③	④
12	①	②	③	④
13	①	②	③	④
14	①	②	③	④
15	①	②	③	④
16	①	②	③	④
17	①	②	③	④
18	①	②	③	④
19	①	②	③	④
20	①	②	③	④

문번	제7회 모의고사			
1	①	②	③	④
2	①	②	③	④
3	①	②	③	④
4	①	②	③	④
5	①	②	③	④
6	①	②	③	④
7	①	②	③	④
8	①	②	③	④
9	①	②	③	④
10	①	②	③	④
11	①	②	③	④
12	①	②	③	④
13	①	②	③	④
14	①	②	③	④
15	①	②	③	④
16	①	②	③	④
17	①	②	③	④
18	①	②	③	④
19	①	②	③	④
20	①	②	③	④

문번	제8회 모의고사			
1	①	②	③	④
2	①	②	③	④
3	①	②	③	④
4	①	②	③	④
5	①	②	③	④
6	①	②	③	④
7	①	②	③	④
8	①	②	③	④
9	①	②	③	④
10	①	②	③	④
11	①	②	③	④
12	①	②	③	④
13	①	②	③	④
14	①	②	③	④
15	①	②	③	④
16	①	②	③	④
17	①	②	③	④
18	①	②	③	④
19	①	②	③	④
20	①	②	③	④

문번	제9회 모의고사			
1	①	②	③	④
2	①	②	③	④
3	①	②	③	④
4	①	②	③	④
5	①	②	③	④
6	①	②	③	④
7	①	②	③	④
8	①	②	③	④
9	①	②	③	④
10	①	②	③	④
11	①	②	③	④
12	①	②	③	④
13	①	②	③	④
14	①	②	③	④
15	①	②	③	④
16	①	②	③	④
17	①	②	③	④
18	①	②	③	④
19	①	②	③	④
20	①	②	③	④

문번	제10회 모의고사			
1	①	②	③	④
2	①	②	③	④
3	①	②	③	④
4	①	②	③	④
5	①	②	③	④
6	①	②	③	④
7	①	②	③	④
8	①	②	③	④
9	①	②	③	④
10	①	②	③	④
11	①	②	③	④
12	①	②	③	④
13	①	②	③	④
14	①	②	③	④
15	①	②	③	④
16	①	②	③	④
17	①	②	③	④
18	①	②	③	④
19	①	②	③	④
20	①	②	③	④

9급 공무원 공개경쟁채용시험 필기시험 답안지

컴퓨터용 흑색사인펜만 사용

책형
●
●

【필적감정용 기재】
*아래 예시문을 옮겨 적으시오

본인은 ○○○(응시자성명)임을 확인함

기 재 란

성 명	
자필성명	본인 성명 기재
응시직렬	
응시지역	
시험장소	

응 시 번 호							
⓪	⓪	⓪	⓪	⓪	⓪	⓪	⓪
①	①	①	①	①	①	①	①
②	②	②	②	②	②	②	②
③	③	③	③	③	③	③	③
④	④	④	④	④	④	④	④
⑤	⑤	⑤	⑤	⑤	⑤	⑤	⑤
⑥	⑥	⑥	⑥	⑥	⑥	⑥	⑥
⑦	⑦	⑦	⑦	⑦	⑦	⑦	⑦
⑧	⑧	⑧	⑧	⑧	⑧	⑧	⑧
⑨	⑨	⑨	⑨	⑨	⑨	⑨	⑨

생 년 월 일					
⓪	⓪	⓪	⓪	⓪	⓪
	①	①	①	①	①
	②		②	②	②
	③		③	③	③
	④		④		④
⑤	⑤		⑤		⑤
⑥	⑥		⑥		⑥
⑦	⑦		⑦		⑦
⑧	⑧		⑧		⑧
⑨	⑨		⑨		⑨

※ 시험감독관 서명 (성명을 정자로 기재할 것)	적색 볼펜만 사용

문번	제1회 모의고사	제2회 모의고사	제3회 모의고사	제4회 모의고사	제5회 모의고사
1	① ② ③ ④	① ② ③ ④	① ② ③ ④	① ② ③ ④	① ② ③ ④
2	① ② ③ ④	① ② ③ ④	① ② ③ ④	① ② ③ ④	① ② ③ ④
3	① ② ③ ④	① ② ③ ④	① ② ③ ④	① ② ③ ④	① ② ③ ④
4	① ② ③ ④	① ② ③ ④	① ② ③ ④	① ② ③ ④	① ② ③ ④
5	① ② ③ ④	① ② ③ ④	① ② ③ ④	① ② ③ ④	① ② ③ ④
6	① ② ③ ④	① ② ③ ④	① ② ③ ④	① ② ③ ④	① ② ③ ④
7	① ② ③ ④	① ② ③ ④	① ② ③ ④	① ② ③ ④	① ② ③ ④
8	① ② ③ ④	① ② ③ ④	① ② ③ ④	① ② ③ ④	① ② ③ ④
9	① ② ③ ④	① ② ③ ④	① ② ③ ④	① ② ③ ④	① ② ③ ④
10	① ② ③ ④	① ② ③ ④	① ② ③ ④	① ② ③ ④	① ② ③ ④
11	① ② ③ ④	① ② ③ ④	① ② ③ ④	① ② ③ ④	① ② ③ ④
12	① ② ③ ④	① ② ③ ④	① ② ③ ④	① ② ③ ④	① ② ③ ④
13	① ② ③ ④	① ② ③ ④	① ② ③ ④	① ② ③ ④	① ② ③ ④
14	① ② ③ ④	① ② ③ ④	① ② ③ ④	① ② ③ ④	① ② ③ ④
15	① ② ③ ④	① ② ③ ④	① ② ③ ④	① ② ③ ④	① ② ③ ④
16	① ② ③ ④	① ② ③ ④	① ② ③ ④	① ② ③ ④	① ② ③ ④
17	① ② ③ ④	① ② ③ ④	① ② ③ ④	① ② ③ ④	① ② ③ ④
18	① ② ③ ④	① ② ③ ④	① ② ③ ④	① ② ③ ④	① ② ③ ④
19	① ② ③ ④	① ② ③ ④	① ② ③ ④	① ② ③ ④	① ② ③ ④
20	① ② ③ ④	① ② ③ ④	① ② ③ ④	① ② ③ ④	① ② ③ ④

9급 공무원 공개경쟁채용시험 필기시험 답안지

컴퓨터용 흑색사인펜만 사용

책형
●
●

【필적감정용 기재】
*아래 예시문을 옮겨 적으시오
본인은 ○○○(응시자성명)임을 확인함

기 재 란

성 명	
자필성명	본인 성명 기재
응시직렬	
응시지역	
시험장소	

응시번호							
⓪	⓪	⓪	⓪	⓪	⓪	⓪	⓪
①	①	①	①	①	①	①	①
②	②	②	②	②	②	②	②
③	③	③	③	③	③	③	③
④	④	④	④	④	④	④	④
⑤	⑤	⑤	⑤	⑤	⑤	⑤	⑤
⑥	⑥	⑥	⑥	⑥	⑥	⑥	⑥
⑦	⑦	⑦	⑦	⑦	⑦	⑦	⑦
⑧	⑧	⑧	⑧	⑧	⑧	⑧	⑧
⑨	⑨	⑨	⑨	⑨	⑨	⑨	⑨

생년월일					
⓪	⓪	⓪	⓪	⓪	⓪
	①	①	①	①	①
	②		②	②	②
	③		③	③	③
	④		④		④
⑤	⑤		⑤		⑤
⑥	⑥		⑥		⑥
⑦	⑦		⑦		⑦
⑧	⑧		⑧		⑧
⑨	⑨		⑨		⑨

※ 시험감독관 서명
(성명을 정자로 기재할 것)

적색 볼펜만 사용

문번	제6회 모의고사	문번	제7회 모의고사	문번	제8회 모의고사	문번	제9회 모의고사	문번	제10회 모의고사
1	① ② ③ ④	1	① ② ③ ④	1	① ② ③ ④	1	① ② ③ ④	1	① ② ③ ④
2	① ② ③ ④	2	① ② ③ ④	2	① ② ③ ④	2	① ② ③ ④	2	① ② ③ ④
3	① ② ③ ④	3	① ② ③ ④	3	① ② ③ ④	3	① ② ③ ④	3	① ② ③ ④
4	① ② ③ ④	4	① ② ③ ④	4	① ② ③ ④	4	① ② ③ ④	4	① ② ③ ④
5	① ② ③ ④	5	① ② ③ ④	5	① ② ③ ④	5	① ② ③ ④	5	① ② ③ ④
6	① ② ③ ④	6	① ② ③ ④	6	① ② ③ ④	6	① ② ③ ④	6	① ② ③ ④
7	① ② ③ ④	7	① ② ③ ④	7	① ② ③ ④	7	① ② ③ ④	7	① ② ③ ④
8	① ② ③ ④	8	① ② ③ ④	8	① ② ③ ④	8	① ② ③ ④	8	① ② ③ ④
9	① ② ③ ④	9	① ② ③ ④	9	① ② ③ ④	9	① ② ③ ④	9	① ② ③ ④
10	① ② ③ ④	10	① ② ③ ④	10	① ② ③ ④	10	① ② ③ ④	10	① ② ③ ④
11	① ② ③ ④	11	① ② ③ ④	11	① ② ③ ④	11	① ② ③ ④	11	① ② ③ ④
12	① ② ③ ④	12	① ② ③ ④	12	① ② ③ ④	12	① ② ③ ④	12	① ② ③ ④
13	① ② ③ ④	13	① ② ③ ④	13	① ② ③ ④	13	① ② ③ ④	13	① ② ③ ④
14	① ② ③ ④	14	① ② ③ ④	14	① ② ③ ④	14	① ② ③ ④	14	① ② ③ ④
15	① ② ③ ④	15	① ② ③ ④	15	① ② ③ ④	15	① ② ③ ④	15	① ② ③ ④
16	① ② ③ ④	16	① ② ③ ④	16	① ② ③ ④	16	① ② ③ ④	16	① ② ③ ④
17	① ② ③ ④	17	① ② ③ ④	17	① ② ③ ④	17	① ② ③ ④	17	① ② ③ ④
18	① ② ③ ④	18	① ② ③ ④	18	① ② ③ ④	18	① ② ③ ④	18	① ② ③ ④
19	① ② ③ ④	19	① ② ③ ④	19	① ② ③ ④	19	① ② ③ ④	19	① ② ③ ④
20	① ② ③ ④	20	① ② ③ ④	20	① ② ③ ④	20	① ② ③ ④	20	① ② ③ ④

9급 공무원 공개경쟁채용시험 필기시험 답안지

컴퓨터용 흑색사인펜만 사용

책형
●
●

【필적감정용 기재】
*아래 예시문을 옮겨 적으시오
본인은 ○○○(응시자성명)임을 확인함

기 재 란

성 명	
자필성명	본인 성명 기재
응시직렬	
응시지역	
시험장소	

응 시 번 호							
⓪	⓪	⓪	⓪	⓪	⓪	⓪	⓪
①	①	①	①	①	①	①	①
②	②	②	②	②	②	②	②
③	③	③	③	③	③	③	③
④	④	④	④	④	④	④	④
⑤	⑤	⑤	⑤	⑤	⑤	⑤	⑤
⑥	⑥	⑥	⑥	⑥	⑥	⑥	⑥
⑦	⑦	⑦	⑦	⑦	⑦	⑦	⑦
⑧	⑧	⑧	⑧	⑧	⑧	⑧	⑧
⑨	⑨	⑨	⑨	⑨	⑨	⑨	⑨

생 년 월 일					
⓪	⓪	⓪	⓪	⓪	⓪
	①	①	①	①	①
	②		②	②	②
	③		③	③	③
	④		④		④
⑤	⑤		⑤		⑤
⑥	⑥		⑥		⑥
⑦	⑦		⑦		⑦
⑧	⑧		⑧		⑧
⑨	⑨		⑨		⑨

※ 시험감독관 서명 (성명을 정자로 기재할 것)	적색 볼펜만 사용

문번	제1회 모의고사	문번	제2회 모의고사	문번	제3회 모의고사	문번	제4회 모의고사	문번	제5회 모의고사
1	① ② ③ ④	1	① ② ③ ④	1	① ② ③ ④	1	① ② ③ ④	1	① ② ③ ④
2	① ② ③ ④	2	① ② ③ ④	2	① ② ③ ④	2	① ② ③ ④	2	① ② ③ ④
3	① ② ③ ④	3	① ② ③ ④	3	① ② ③ ④	3	① ② ③ ④	3	① ② ③ ④
4	① ② ③ ④	4	① ② ③ ④	4	① ② ③ ④	4	① ② ③ ④	4	① ② ③ ④
5	① ② ③ ④	5	① ② ③ ④	5	① ② ③ ④	5	① ② ③ ④	5	① ② ③ ④
6	① ② ③ ④	6	① ② ③ ④	6	① ② ③ ④	6	① ② ③ ④	6	① ② ③ ④
7	① ② ③ ④	7	① ② ③ ④	7	① ② ③ ④	7	① ② ③ ④	7	① ② ③ ④
8	① ② ③ ④	8	① ② ③ ④	8	① ② ③ ④	8	① ② ③ ④	8	① ② ③ ④
9	① ② ③ ④	9	① ② ③ ④	9	① ② ③ ④	9	① ② ③ ④	9	① ② ③ ④
10	① ② ③ ④	10	① ② ③ ④	10	① ② ③ ④	10	① ② ③ ④	10	① ② ③ ④
11	① ② ③ ④	11	① ② ③ ④	11	① ② ③ ④	11	① ② ③ ④	11	① ② ③ ④
12	① ② ③ ④	12	① ② ③ ④	12	① ② ③ ④	12	① ② ③ ④	12	① ② ③ ④
13	① ② ③ ④	13	① ② ③ ④	13	① ② ③ ④	13	① ② ③ ④	13	① ② ③ ④
14	① ② ③ ④	14	① ② ③ ④	14	① ② ③ ④	14	① ② ③ ④	14	① ② ③ ④
15	① ② ③ ④	15	① ② ③ ④	15	① ② ③ ④	15	① ② ③ ④	15	① ② ③ ④
16	① ② ③ ④	16	① ② ③ ④	16	① ② ③ ④	16	① ② ③ ④	16	① ② ③ ④
17	① ② ③ ④	17	① ② ③ ④	17	① ② ③ ④	17	① ② ③ ④	17	① ② ③ ④
18	① ② ③ ④	18	① ② ③ ④	18	① ② ③ ④	18	① ② ③ ④	18	① ② ③ ④
19	① ② ③ ④	19	① ② ③ ④	19	① ② ③ ④	19	① ② ③ ④	19	① ② ③ ④
20	① ② ③ ④	20	① ② ③ ④	20	① ② ③ ④	20	① ② ③ ④	20	① ② ③ ④

9급 공무원 공개경쟁채용시험 필기시험 답안지

컴퓨터용 흑색사인펜만 사용

책형	【필적감정용 기재】
●	*아래 예시문을 옮겨 적으시오
●	본인은 ○○○(응시자성명)임을 확인함
	기 재 란

성 명	
자필성명	본인 성명 기재
응시직렬	
응시지역	
시험장소	

응 시 번 호							
⓪	⓪	⓪	⓪	⓪	⓪	⓪	⓪
①	①	①	①	①	①	①	①
②	②	②	②	②	②	②	②
③	③	③	③	③	③	③	③
④	④	④	④	④	④	④	④
⑤	⑤	⑤	⑤	⑤	⑤	⑤	⑤
⑥	⑥	⑥	⑥	⑥	⑥	⑥	⑥
⑦	⑦	⑦	⑦	⑦	⑦	⑦	⑦
⑧	⑧	⑧	⑧	⑧	⑧	⑧	⑧
⑨	⑨	⑨	⑨	⑨	⑨	⑨	⑨

생 년 월 일					
⓪	⓪	⓪	⓪	⓪	⓪
	①	①	①	①	①
	②		②	②	②
	③		③	③	③
	④		④		④
⑤	⑤		⑤		⑤
⑥	⑥		⑥		⑥
⑦	⑦		⑦		⑦
⑧	⑧		⑧		⑧
⑨	⑨		⑨		⑨

※ 시험감독관 서명 (성명을 정자로 기재할 것)	적색 볼펜만 사용

문번	제6회 모의고사			
1	①	②	③	④
2	①	②	③	④
3	①	②	③	④
4	①	②	③	④
5	①	②	③	④
6	①	②	③	④
7	①	②	③	④
8	①	②	③	④
9	①	②	③	④
10	①	②	③	④
11	①	②	③	④
12	①	②	③	④
13	①	②	③	④
14	①	②	③	④
15	①	②	③	④
16	①	②	③	④
17	①	②	③	④
18	①	②	③	④
19	①	②	③	④
20	①	②	③	④

문번	제7회 모의고사			
1	①	②	③	④
2	①	②	③	④
3	①	②	③	④
4	①	②	③	④
5	①	②	③	④
6	①	②	③	④
7	①	②	③	④
8	①	②	③	④
9	①	②	③	④
10	①	②	③	④
11	①	②	③	④
12	①	②	③	④
13	①	②	③	④
14	①	②	③	④
15	①	②	③	④
16	①	②	③	④
17	①	②	③	④
18	①	②	③	④
19	①	②	③	④
20	①	②	③	④

문번	제8회 모의고사			
1	①	②	③	④
2	①	②	③	④
3	①	②	③	④
4	①	②	③	④
5	①	②	③	④
6	①	②	③	④
7	①	②	③	④
8	①	②	③	④
9	①	②	③	④
10	①	②	③	④
11	①	②	③	④
12	①	②	③	④
13	①	②	③	④
14	①	②	③	④
15	①	②	③	④
16	①	②	③	④
17	①	②	③	④
18	①	②	③	④
19	①	②	③	④
20	①	②	③	④

문번	제9회 모의고사			
1	①	②	③	④
2	①	②	③	④
3	①	②	③	④
4	①	②	③	④
5	①	②	③	④
6	①	②	③	④
7	①	②	③	④
8	①	②	③	④
9	①	②	③	④
10	①	②	③	④
11	①	②	③	④
12	①	②	③	④
13	①	②	③	④
14	①	②	③	④
15	①	②	③	④
16	①	②	③	④
17	①	②	③	④
18	①	②	③	④
19	①	②	③	④
20	①	②	③	④

문번	제10회 모의고사			
1	①	②	③	④
2	①	②	③	④
3	①	②	③	④
4	①	②	③	④
5	①	②	③	④
6	①	②	③	④
7	①	②	③	④
8	①	②	③	④
9	①	②	③	④
10	①	②	③	④
11	①	②	③	④
12	①	②	③	④
13	①	②	③	④
14	①	②	③	④
15	①	②	③	④
16	①	②	③	④
17	①	②	③	④
18	①	②	③	④
19	①	②	③	④
20	①	②	③	④

9급 공무원 공개경쟁채용시험 필기시험 답안지

컴퓨터용 흑색사인펜만 사용

책형
●
●

【필적감정용 기재】
*아래 예시문을 옮겨 적으시오
본인은 ○○○(응시자성명)임을 확인함

기 재 란

성 명	
자필성명	본인 성명 기재
응시직렬	
응시지역	
시험장소	

응 시 번 호							
⓪	⓪	⓪	⓪	⓪	⓪	⓪	⓪
①	①	①	①	①	①	①	①
②	②	②	②	②	②	②	②
③	③	③	③	③	③	③	③
④	④	④	④	④	④	④	④
⑤	⑤	⑤	⑤	⑤	⑤	⑤	⑤
⑥	⑥	⑥	⑥	⑥	⑥	⑥	⑥
⑦	⑦	⑦	⑦	⑦	⑦	⑦	⑦
⑧	⑧	⑧	⑧	⑧	⑧	⑧	⑧
⑨	⑨	⑨	⑨	⑨	⑨	⑨	⑨

생 년 월 일					
⓪	⓪	⓪	⓪	⓪	⓪
	①	①	①	①	①
	②		②	②	②
	③		③	③	③
	④		④		④
⑤	⑤		⑤		⑤
⑥	⑥		⑥		⑥
⑦	⑦		⑦		⑦
⑧	⑧		⑧		⑧
⑨	⑨		⑨		⑨

※ 시험감독관 서명 (성명을 정자로 기재할 것)	적색 볼펜만 사용

문번	제1회 모의고사			
1	①	②	③	④
2	①	②	③	④
3	①	②	③	④
4	①	②	③	④
5	①	②	③	④
6	①	②	③	④
7	①	②	③	④
8	①	②	③	④
9	①	②	③	④
10	①	②	③	④
11	①	②	③	④
12	①	②	③	④
13	①	②	③	④
14	①	②	③	④
15	①	②	③	④
16	①	②	③	④
17	①	②	③	④
18	①	②	③	④
19	①	②	③	④
20	①	②	③	④

문번	제2회 모의고사			
1	①	②	③	④
2	①	②	③	④
3	①	②	③	④
4	①	②	③	④
5	①	②	③	④
6	①	②	③	④
7	①	②	③	④
8	①	②	③	④
9	①	②	③	④
10	①	②	③	④
11	①	②	③	④
12	①	②	③	④
13	①	②	③	④
14	①	②	③	④
15	①	②	③	④
16	①	②	③	④
17	①	②	③	④
18	①	②	③	④
19	①	②	③	④
20	①	②	③	④

문번	제3회 모의고사			
1	①	②	③	④
2	①	②	③	④
3	①	②	③	④
4	①	②	③	④
5	①	②	③	④
6	①	②	③	④
7	①	②	③	④
8	①	②	③	④
9	①	②	③	④
10	①	②	③	④
11	①	②	③	④
12	①	②	③	④
13	①	②	③	④
14	①	②	③	④
15	①	②	③	④
16	①	②	③	④
17	①	②	③	④
18	①	②	③	④
19	①	②	③	④
20	①	②	③	④

문번	제4회 모의고사			
1	①	②	③	④
2	①	②	③	④
3	①	②	③	④
4	①	②	③	④
5	①	②	③	④
6	①	②	③	④
7	①	②	③	④
8	①	②	③	④
9	①	②	③	④
10	①	②	③	④
11	①	②	③	④
12	①	②	③	④
13	①	②	③	④
14	①	②	③	④
15	①	②	③	④
16	①	②	③	④
17	①	②	③	④
18	①	②	③	④
19	①	②	③	④
20	①	②	③	④

문번	제5회 모의고사			
1	①	②	③	④
2	①	②	③	④
3	①	②	③	④
4	①	②	③	④
5	①	②	③	④
6	①	②	③	④
7	①	②	③	④
8	①	②	③	④
9	①	②	③	④
10	①	②	③	④
11	①	②	③	④
12	①	②	③	④
13	①	②	③	④
14	①	②	③	④
15	①	②	③	④
16	①	②	③	④
17	①	②	③	④
18	①	②	③	④
19	①	②	③	④
20	①	②	③	④

9급 공무원 공개경쟁채용시험 필기시험 답안지

컴퓨터용 흑색사인펜만 사용

책형
●
●

【필적감정용 기재】
*아래 예시문을 옮겨 적으시오

본인은 ○○○(응시자성명)임을 확인함

기 재 란

성 명	
자필성명	본인 성명 기재
응시직렬	
응시지역	
시험장소	

응 시 번 호							
⓪	⓪	⓪	⓪	⓪	⓪	⓪	⓪
①	①	①	①	①	①	①	①
②	②	②	②	②	②	②	②
③	③	③	③	③	③	③	③
④	④	④	④	④	④	④	④
⑤	⑤	⑤	⑤	⑤	⑤	⑤	⑤
⑥	⑥	⑥	⑥	⑥	⑥	⑥	⑥
⑦	⑦	⑦	⑦	⑦	⑦	⑦	⑦
⑧	⑧	⑧	⑧	⑧	⑧	⑧	⑧
⑨	⑨	⑨	⑨	⑨	⑨	⑨	⑨

생 년 월 일					
⓪	⓪	⓪	⓪	⓪	⓪
	①	①	①	①	①
	②		②	②	②
	③		③	③	③
	④		④		④
⑤	⑤		⑤		⑤
⑥	⑥		⑥		⑥
⑦	⑦		⑦		⑦
⑧	⑧		⑧		⑧
⑨	⑨		⑨		⑨

※ 시험감독관 서명 (성명을 정자로 기재할 것)	적색 볼펜만 사용

문번	제6회 모의고사	제7회 모의고사	제8회 모의고사	제9회 모의고사	제10회 모의고사
1	① ② ③ ④	① ② ③ ④	① ② ③ ④	① ② ③ ④	① ② ③ ④
2	① ② ③ ④	① ② ③ ④	① ② ③ ④	① ② ③ ④	① ② ③ ④
3	① ② ③ ④	① ② ③ ④	① ② ③ ④	① ② ③ ④	① ② ③ ④
4	① ② ③ ④	① ② ③ ④	① ② ③ ④	① ② ③ ④	① ② ③ ④
5	① ② ③ ④	① ② ③ ④	① ② ③ ④	① ② ③ ④	① ② ③ ④
6	① ② ③ ④	① ② ③ ④	① ② ③ ④	① ② ③ ④	① ② ③ ④
7	① ② ③ ④	① ② ③ ④	① ② ③ ④	① ② ③ ④	① ② ③ ④
8	① ② ③ ④	① ② ③ ④	① ② ③ ④	① ② ③ ④	① ② ③ ④
9	① ② ③ ④	① ② ③ ④	① ② ③ ④	① ② ③ ④	① ② ③ ④
10	① ② ③ ④	① ② ③ ④	① ② ③ ④	① ② ③ ④	① ② ③ ④
11	① ② ③ ④	① ② ③ ④	① ② ③ ④	① ② ③ ④	① ② ③ ④
12	① ② ③ ④	① ② ③ ④	① ② ③ ④	① ② ③ ④	① ② ③ ④
13	① ② ③ ④	① ② ③ ④	① ② ③ ④	① ② ③ ④	① ② ③ ④
14	① ② ③ ④	① ② ③ ④	① ② ③ ④	① ② ③ ④	① ② ③ ④
15	① ② ③ ④	① ② ③ ④	① ② ③ ④	① ② ③ ④	① ② ③ ④
16	① ② ③ ④	① ② ③ ④	① ② ③ ④	① ② ③ ④	① ② ③ ④
17	① ② ③ ④	① ② ③ ④	① ② ③ ④	① ② ③ ④	① ② ③ ④
18	① ② ③ ④	① ② ③ ④	① ② ③ ④	① ② ③ ④	① ② ③ ④
19	① ② ③ ④	① ② ③ ④	① ② ③ ④	① ② ③ ④	① ② ③ ④
20	① ② ③ ④	① ② ③ ④	① ② ③ ④	① ② ③ ④	① ② ③ ④